B1 CECR

5-6 Échelle québécoise

CAHIER D'EXERCICES

Grammaire et vocabulaire

Nancy Desjardins

Données de catalogage disponibles dans la base de données de Bibliothèque et Archives nationales du Québec

Financé par le gouvernement du Canada | Canada

Révision pédagogique : Julie Larose
Révision linguistique : Millie Pouliot
Correction d'épreuves : Catherine Vaudry
Conception graphique et réalisation de la couverture : René St-Amand
Conception graphique et réalisation de l'intérieur : Louise Durocher
Illustrations : Jean Morin

ISBN : 978-2-89144-860-4

Dépôt légal – 1er trimestre 2019
Bibliothèque et Archives nationales du Québec
Bibliothèque et Archives Canada

Diffusion-distribution en Amérique du Nord :
Distribution HMH
1815, avenue De Lorimier
Montréal (Québec) H2K 3W6
www.distributionhmh.com

Diffusion-distribution en Europe :
Librairie du Québec / DNM
30, rue Gay-Lussac
75005 Paris FRANCE
www.librairieduquebec.fr

En Suisse :
Servidis S.A. GM
5, chemin des Chaudronniers
Case postale 3663
CH-1211 Genève 3 SUISSE
www.servidis.ch

Réimprimé au Canada, en août 2022, sur les presses de Marquis-Livre à Montmagny

www.editionsmd.com

SOMMAIRE

UN CAHIER D'EXERCICES POUR COMPLÉMENTER LA MÉTHODE DE BASE

Ce cahier a été conçu pour aider les élèves à maitriser les notions grammaticales et à acquérir le vocabulaire exploité dans la méthode de français **Par ici**.

Par ici est une méthode scénarisée dans laquelle évoluent des personnages qui vivent au Québec. Les élèves suivent ces personnages au fil d'épisodes qui explorent des situations de la vie quotidienne. Ce faisant, ils apprennent à communiquer en français selon les intentions de communication et les niveaux de compétence visés. Dans chaque épisode, des rubriques *Mémo* présentent les notions grammaticales et le vocabulaire pertinent. Le présent cahier propose des exercices permettant de s'approprier ce contenu grammatical et lexical.

Alors que la méthode **Par ici** priorise le développement des compétences orales, ce cahier offre aux élèves l'occasion de transférer leurs nouvelles compétences à l'écrit au moyen d'exercices de systématisation nombreux et variés. Ceux-ci contribueront à établir les bases nécessaires pour communiquer et s'épanouir en français.

NOTES

- Ce cahier est un outil complémentaire. Les épisodes bilans de la méthode de base (5, 10, 15 et 20), qui proposent une autoévaluation et un projet intégrateur, n'y sont donc pas abordés.
- Le corrigé complet peut être téléchargé gratuitement sur les sites **methode-parici.com** et **editionsmd.com**.

LÉGENDE

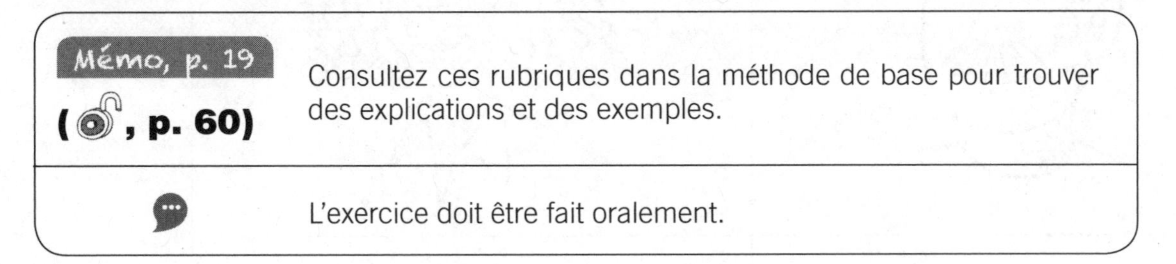

INTÉGREZ LE VOCABULAIRE

➤ La description physique

1. Associez les descriptions aux bonnes images.

a. ____ ____ ____ ____

b. ____ ____ ____ ____

c. ____ ____ ____ ____

d. ____ ____ ____ ____

1. porte des lunettes
2. a les cheveux rasés
3. a les cheveux mi-longs
4. a les cheveux longs
5. a les cheveux frisés
6. a une queue de cheval
7. a une barbe
8. a une moustache
9. a une cicatrice
10. a un tatouage
11. a le visage carré
12. a le nez retroussé
13. a les lèvres minces
14. a les lèvres charnues
15. a le nez pointu
16. est chauve

2. Encerclez l'adjectif qui correspond à l'image.

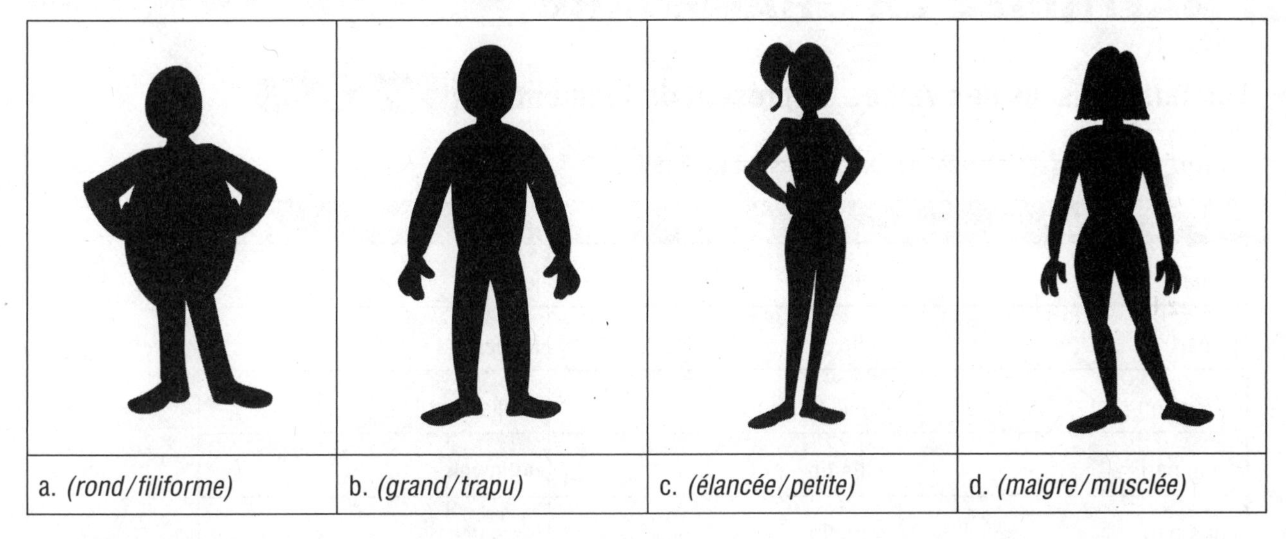

a. *(rond/filiforme)*	b. *(grand/trapu)*	c. *(élancée/petite)*	d. *(maigre/musclée)*

3. Associez les adjectifs qui sont synonymes.

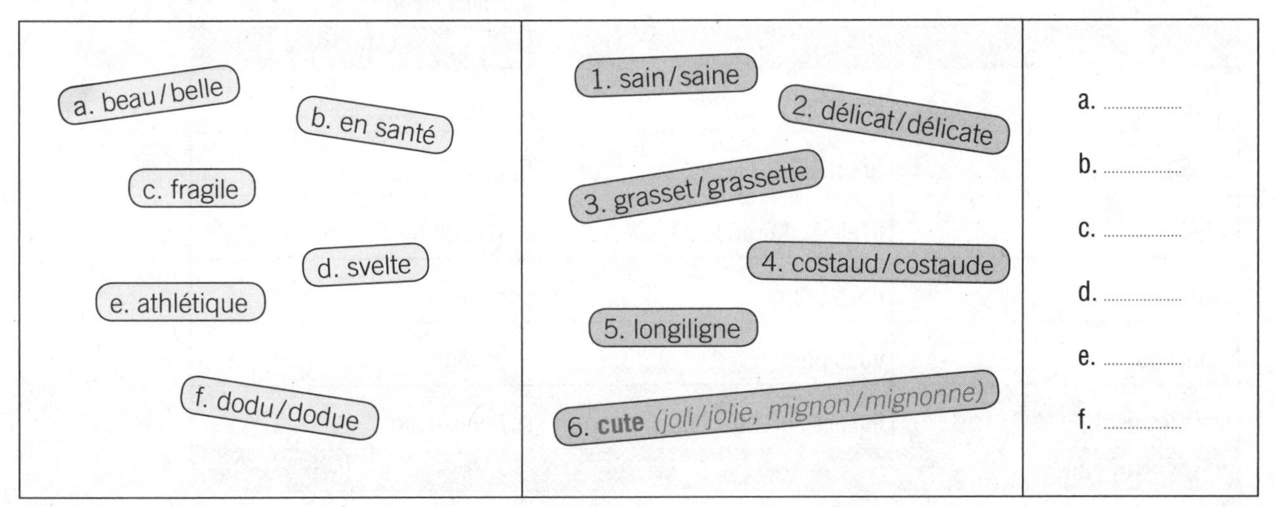

4. Complétez les descriptions en encerclant le bon adjectif.

a. Ce vieil homme a le dos *(mince/courbé)* et se déplace avec une canne.

b. Les joueuses de cette équipe de basketball sont toutes très *(chauves/grandes)*.

c. Son nouveau **chum** *(petit ami)* est vraiment gentil et il est super *(cute/vernis)*!

d. En général, les ballerines sont *(dodues/filiformes)*.

e. Nous recherchons des hommes *(corpulents/tatoués)* pour une étude sur le diabète.

f. Malheureusement, les mannequins qu'on voit dans les magazines sont souvent très *(maigres/costaudes)*.

g. Ce petit bébé tout *(dodu/courbé)* est trop mignon!

h. Elle aime les hommes bruns et *(élancés/malades)*.

MAITRISEZ LA GRAMMAIRE

➤ Les terminaisons des verbes au présent de l'indicatif

Mémo, p. 19

1. Écrivez les terminaisons des verbes au présent de l'indicatif.

Parler	Finir	Venir
je parl........	je fin........	je vien........
tu parl........	tu fin........	tu vien........
il/elle/on parl........	il/elle/on fin........	il/elle/on vien........
nous parl........	nous fin........	nous ven........
vous parl........	vous fin........	vous ven........
ils/elles parl........	ils/elles fin........	ils/elles vienn........
Vouloir	**Prendre**	**Tenir**
je veu........	je prend........	je tien........
tu veu........	tu prend........	tu tien........
il/elle/on veu........	il/elle/on prend........	il/elle/on tien........
nous voul........	nous pren........	nous ten........
vous voul........	vous pren........	vous ten........
ils/elles veul........	ils/elles prenn........	ils/elles tienn........
Comprendre	**Pouvoir**	**Savoir**
je comprend........	je peu........	je sai........
tu comprend........	tu peu........	tu sai........
il/elle/on comprend........	il/elle/on peu........	il/elle/on sai........
nous compren........	nous pouv........	nous sav........
vous compren........	vous pouv........	vous sav........
ils/elles comprenn........	ils/elles peuv........	ils/elles sav........

2. Encerclez les verbes au présent de l'indicatif.

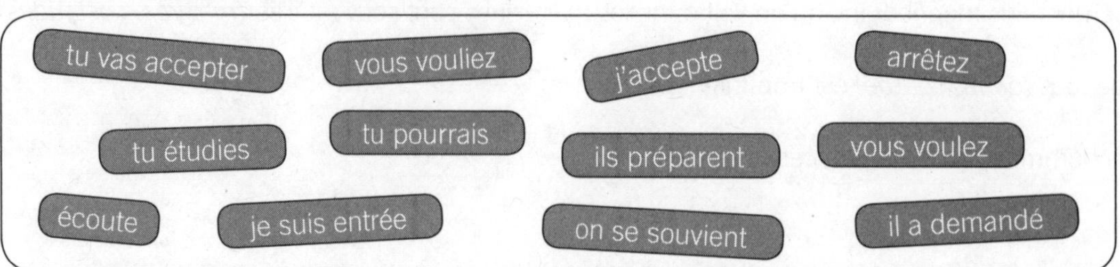

3. Encerclez le verbe correctement conjugué.

a. Mon amie ne *(peux/peut)* pas souper avec nous, mais elle *(veux/veut)* venir plus tard.

b. Est-ce que tu *(lis/lit)* tous les courriels que tu *(reçois/reçoit)*?

c. J'*(entre/entres)* dans le bar et je *(m'assois/m'assoit)* au comptoir.

d. Les gens ne *(comprends/comprennent)* pas toujours quand je *(parle/parles)*.

e. Mon conjoint *(finis/finit)* de travailler à 5 h et il *(viens/vient)* me rejoindre au restaurant.

f. Est-ce que tu *(fais/fait)* du yoga plusieurs fois par semaine?

g. J'*(étudie/étudies)* le français depuis un an et je *(progresse/progresses)* bien.

h. Depuis quelques années, il *(boit/boit)* du thé, mais jamais de café.

i. Elles *(répondes/répondent)* calmement aux questions et *(prend/prennent)* des notes.

j. Cette pauvre femme *(tiens/tient)* son bébé dans un bras et son gros sac dans l'autre.

k. Ma tante *(pense/penses)* que tu *(travaille/travailles)* trop.

l. *(Apprends/Apprend)*-tu beaucoup de choses dans ton cours de peinture?

m. La professeure *(explique/expliques)* bien, mais les étudiants n'*(écoute/écoutent)* pas.

n. Nous *(acceptons/acceptent)* votre invitation avec un grand plaisir.

o. Elle *(fais/fait)* les activités qu'elle *(aime/aimes)* en premier.

p. Je *(réfléchis/réfléchit)* quelques minutes et je te *(donne/donnes)* ensuite ma réponse.

q. Les nombreux participants *(remercies/remercient)* les organisateurs de l'évènement.

r. Ma petite voisine *(pleure/pleures)* beaucoup et elle *(crie/cries)* tout le temps.

s. On *(dis/dit)* que tu *(trouve/trouves)* toujours les choses que tu *(cherche/cherches)*.

t. Ses enfants *(joues/jouent)* tous de la musique : piano, violon et accordéon.

u. Est-ce qu'il *(mets/met)* son imperméable et ses bottes de pluie?

v. Qu'est-ce que tu *(choisis/choisit)* : rester à la maison ou aller au cinéma?

w. Tu *(accepte/acceptes)* de m'accompagner parce que je ne *(connais/connait)* pas le quartier.

x. Les filles *(écris/écrivent)* une chanson et les garçons *(composes/composent)* la musique.

y. Marie-Louise *(attends/attend)* un appel et elle *(espère/espères)* recevoir une réponse positive.

z. Je *(paie/paies)* toutes mes factures en ligne et j'*(utilise/utilises)* toujours ma carte de guichet.

4. Conjuguez les verbes au présent de l'indicatif.

a. La session universitaire .... *(commencer)* le 6 janvier et elle .... *(finir)* le 12 mai.

b. Est-ce que tu .... *(lire)* des romans contemporains ou tu .... *(préférer)* les classiques ?

c. Marc-Antoine .... *(prendre)* sa pause dans le parc et .... *(profiter)* du soleil.

d. Les chercheurs .... *(enregistrer)* les données et .... *(vérifier)* les résultats.

e. Je .... *(mettre)* mon maillot et je .... *(venir)* tout de suite.

f. Vous .... *(savoir)* que vous .... *(pouvoir)* réussir.

g. Mes voisins .... *(suivre)* des cours de français dans un centre communautaire et ils .... *(apprendre)* beaucoup d'expressions québécoises.

h. Est-ce que tu .... *(envoyer)* beaucoup de lettres par la poste ?

i. J'.................................. *(ouvrir)* la fenêtre et .... *(entendre)* le gazouillis des oiseaux mêlé aux rires des enfants.

j. Nous .... *(vérifier)* votre dossier et nous .... *(faire)* le suivi avec vous aujourd'hui.

k. Quand elle .... *(revenir)* de voyage, elle .... *(raconter)* quelques anecdotes à ses amis.

l. Je ne .... *(savoir)* pas si elle .... *(comprendre)* bien ce que ses parents .... *(ressentir)*.

m. Léonora et Violette .... *(recevoir)* des commentaires positifs et .... *(essayer)* de satisfaire aux demandes de tous leurs clients.

n. Avant le souper, on .... *(boire)* parfois une bière ou un verre de vin.

o. Je .... *(courir)* 5 km, je .... *(prendre)* une douche et je .... *(aller)* au travail.

p. Est-ce que vous .... *(devoir)* rester à la maison avec vos enfants ou vous .... *(avoir)* une gardienne pour la soirée ?

q. Frédérick .... *(vivre)* chez ses parents et .... *(sortir)* tous les soirs.

5. Complétez les phrases en conjuguant les verbes des encadrés au présent de l'indicatif.

acheter • commencer • dire • entrer • prendre • recevoir • revenir

a. Ils .... « bonjour » à toutes les personnes qu'ils rencontrent.

b. Tu .... à travailler la semaine prochaine.

c. D'habitude, elle .... par la porte arrière et elle ne sonne pas.

d. On .... toujours nos vêtements dans ce magasin.

e. Je .... de voyage et je suis en pleine forme.

f. Est-ce que vous .... votre facture en version électronique?

g. J'aime ce politicien parce qu'il .... le temps de parler avec les gens.

aller • entendre • demander • penser • pouvoir • voir • trouver

h. ....-tu le bruit qui vient de la salle de bain?

i. Quand il fait beau, elle .... à l'université en vélo.

j. En ce moment, je .... à ma sœur parce qu'elle fait un examen important.

k. Vous .... rarement à vos amis de vous aider.

l. Nous .... une solution à beaucoup de problèmes.

m. Au Biodôme, on .... des animaux qu'on ne retrouve pas au Québec.

n. Est-ce qu'elles .... venir à la réunion samedi soir?

arriver • attendre • chercher • donner • passer • regarder • sortir

o. Nathalie .... toujours un peu en retard quand je l'invite chez moi.

p. Est-ce que vous .... un pourboire à votre coiffeuse?

q. Le fils de ma voisine .... un travail d'été dans un restaurant ou un café.

r. Toutes les dix minutes, l'autobus .... en face de chez moi.

s. J'.. une réponse au courriel que j'ai envoyé la semaine passée.

t. Est-ce que tu .... souvent dans les bars avec tes amis?

u. On s'assoit près de la fenêtre et on .... les passants.

➤ Le présent de narration (ou présent historique) Mémo, p. 19

1. **Racontez l'histoire en conjuguant les verbes en gras au présent.**

Mon mari devait venir me chercher après le travail. Je regardais dehors et j'attendais de voir son auto. Après quelques minutes, **j'ai vu** sa voiture arriver. **J'ai pris** mes choses et **je suis sortie** de l'édifice. **Je me suis dirigée** vers l'auto en regardant le ciel et le soleil. **J'ai ouvert** la portière, **j'ai salué** mon mari et, sans le regarder, **j'ai attaché** ma ceinture. Quand **je me suis retournée** pour l'embrasser, **je me suis rendu compte** de mon erreur. **Je me suis excusée** et **je suis sortie** en vitesse : ce n'était pas mon mari ni sa voiture ! Il était stationné juste derrière et était mort de rire…

j'ai vu : ……………………………

J'ai pris : ……………………………

je suis sortie : ……………………………

Je me suis dirigée : ……………………………

J'ai ouvert : ……………………………

j'ai salué : ……………………………

j'ai attaché : ……………………………

je me suis retournée : ……………………………

je me suis rendu compte : ……………………………

Je me suis excusée : ……………………………

je suis sortie : ……………………………

2. **Observez les images et créez un récit. Décrivez chaque image par une phrase au présent.**

- ……………………………………………………………

……………………………………………………………

- ……………………………………………………………

……………………………………………………………

- ……………………………………………………………

……………………………………………………………

- ……………………………………………………………

……………………………………………………………

➤ L'imparfait de l'indicatif Mémo, p. 20

1. Indiquez si la phrase est à l'imparfait ou au présent de l'indicatif.

		Imparfait	Présent
	Elles avaient les cheveux longs et blonds.	✓	
a.	Tu étais toujours la meilleure de la classe.		
b.	Nous habitions en ville, dans un petit appartement.		
c.	J'avais des lunettes bleues.		
d.	Vous étudiez dans une université québécoise.		
e.	Nous habitons dans une grande maison à la campagne.		
f.	Il travaillait pour une petite compagnie de télécommunications.		
g.	Je souhaite rencontrer des gens et établir des relations professionnelles.		
h.	Mon frère aîné voulait devenir astronaute.		
i.	Je ne sais pas où sont mes amies ce soir.		
j.	On aimait aller voir des films au cinéma du quartier.		
k.	Ils apprennent beaucoup de choses sur l'art et l'histoire de ce pays.		
l.	L'avant-midi, elle fait de la natation et de la bicyclette.		
m.	Simon faisait toujours de la course à pied et du vélo de montagne.		
n.	Mes collègues disent que ce restaurant est bon, mais un peu cher.		
o.	Ma mère était petite, mince, et elle avait de longs cheveux gris.		

2. Complétez les terminaisons à l'imparfait de l'indicatif.

a. elle av ___ ___ ___

b. tu habit ___ ___ ___

c. je parl ___ ___ ___

d. nous voul ___ ___ ___ ___

e. ils ét ___ ___ ___ ___ ___

f. vous mang ___ ___ ___

g. on fum ___ ___ ___

h. elles travaill ___ ___ ___ ___ ___

i. je fais ___ ___ ___

j. nous av ___ ___ ___ ___

k. il jou ___ ___ ___

l. vous aim ___ ___ ___

m. tu dorm ___ ___ ___

n. elles buv ___ ___ ___ ___ ___

o. on all ___ ___ ___

p. ils finiss ___ ___ ___ ___ ___

3. Conjuguez les verbes à l'imparfait de l'indicatif.

a. Mon frère .... *(être)* célibataire et il .... *(travailler)* à l'épicerie de notre oncle.

b. J'.................................. *(avoir)* les cheveux courts et je .... *(porter)* toujours des vêtements roses.

c. Est-ce que vous .... *(faire)* du sport ou vous .... *(passer)* votre temps à regarder la télévision ?

d. À cette époque, je pense que ma mère .... *(avoir)* encore sa vieille Volvo rouge.

e. Avant, tu .... *(aller)* au cinéma au moins deux fois par semaine.

f. Quand ils étaient jeunes, ils .... *(habiter)* dans un petit village éloigné et ils .... *(faire)* deux heures d'autobus par jour pour aller à l'école.

g. La fin de semaine, ma grand-mère et moi, on .... *(faire)* des galettes et de la compote de pommes.

h. Anne-Marie .... *(être)* petite et elle .... *(avoir)* un joli nez retroussé.

i. Est-ce que tu .... *(faire)* des voyages avec tes parents ?

j. Mes grands-parents .... *(avoir)* huit enfants et ils .... *(posséder)* une grande maison avec une immense cuisine.

k. Quand je .... *(vivre)* seule, je .... *(faire)* mon propre pain et mon propre yogourt.

l. Mon père .... *(étudier)* l'anglais et ma mère .... *(être)* sa professeure.

m. Vous .... *(faire)* partie d'une équipe de natation et vous .... *(avoir)* d'excellents résultats à l'école.

n. Avant, les gens .... *(manger)* beaucoup plus de viande rouge et moins de légumes.

o. Les téléphones cellulaires .... *(être)* énormes et ils .... *(couter)* très cher.

p. Le dimanche, on .... *(prendre)* le métro et on .... *(aller)* au Jardin botanique.

q. Quand j' .... *(avoir)* 10 ans, j' .... *(aller)* à l'école à pied ou en autobus, selon le temps qu'il .... *(faire)*.

4. Transformez les phrases.

	Imparfait	Présent
	Je faisais le ménage.	Je fais le ménage.
a.	Nous allions au parc.	
b.		Tu es célibataire.
c.	Elle avait un **chum** *(petit ami)*.	
d.	Nous prenions l'autobus.	
e.		Ils font des biscuits au chocolat.
f.		J'ai 35 ans.
g.	Vous étiez en voyage.	
h.	Tu aimais tes cours de géographie.	
i.		Nous sommes végétariens.
j.	J'avais un site internet.	
k.	On étudiait ensemble.	
l.		Elle prend un bon bain chaud.
m.	Jacques faisait une sieste.	
n.	Vous alliez au restaurant avec des amis.	
o.		Je suis au coin de la rue.
p.		Tu fais la cuisine avec ta mère.
q.	J'habitais avec des colocataires.	
r.		On va au spectacle avec elles.
s.		Vous faites beaucoup de sport.
t.	Tu étais très timide.	
u.		Elles vont en voyage ensemble.

5. Décrivez les habitudes passées et présentes de Xavier, de Sophie et d'Antoine. Utilisez des verbes à l'imparfait et au présent de l'indicatif.

a. XAVIER	
Avant, Xavier habitait en Australie.	**Maintenant, il habite au Canada.**
- ~~porter des shorts et des t-shirts~~	- ~~porter un manteau d'hiver six mois par année~~
- se baigner dans l'océan	- faire du ski et du patin
- mettre de la crème solaire	- déneiger sa voiture
- manger dehors	- mettre une tuque et des mitaines
- laisser les fenêtres ouvertes	- chauffer la maison
À l'imparfait :	Au présent :
- *Il portait des shorts et des t-shirts.*	- *Il porte un manteau d'hiver six mois par année.*
-	-
-	-
-	-
-	-

b. SOPHIE	
Avant, Sophie se souciait peu de sa santé.	**Maintenant, elle prend soin d'elle.**
- ~~manger de la pizza et des hamburgers~~	- ~~manger beaucoup de légumes et de fruits~~
- boire de la bière et des boissons gazeuses	- boire de l'eau et du thé vert
- sortir dans les bars tous les soirs	- avoir une vie très tranquille
- se coucher tard	- aller au lit à vingt-deux heures
- être très stressée par son travail	- faire de la méditation
À l'imparfait :	Au présent :
- *Elle mangeait de la pizza et des hamburgers.*	- *Elle mange beaucoup de légumes et de fruits.*
-	-
-	-
-	-
-	-

c. ANTOINE	
Avant, Antoine était pauvre. - ~~surveiller les rabais dans les circulaires~~ - faire le ménage de son appartement - acheter des choses en spécial seulement - chercher les évènements gratuits - avoir peur de manquer d'argent À l'imparfait : - Il *surveillait* les rabais dans les circulaires. - ...... - ...... - ...... -	**Maintenant, il est riche.** - ~~dépenser sans compter~~ - embaucher des gens pour faire son ménage - acheter tout ce dont il a envie - fréquenter des endroits chers et chics - contempler le solde de son compte de banque Au présent : - Il *dépense* sans compter. - ...... - ...... - ...... - ......

6. Imaginez les habitudes passées et actuelles des personnes et décrivez-les. Utilisez des verbes à l'imparfait et au présent de l'indicatif.

a. Marie-Noëlle Avant : célibataire Maintenant : en couple	......
b. Samuel Avant : appartement en ville Maintenant : maison à la campagne	......
c. Véronique Avant : étudiante Maintenant : travailleuse	......

ÉPISODE 2 Mauvaise surprise

INTÉGREZ LE VOCABULAIRE

➤ Les problèmes domestiques

1. Notez le chiffre correspondant au problème domestique.

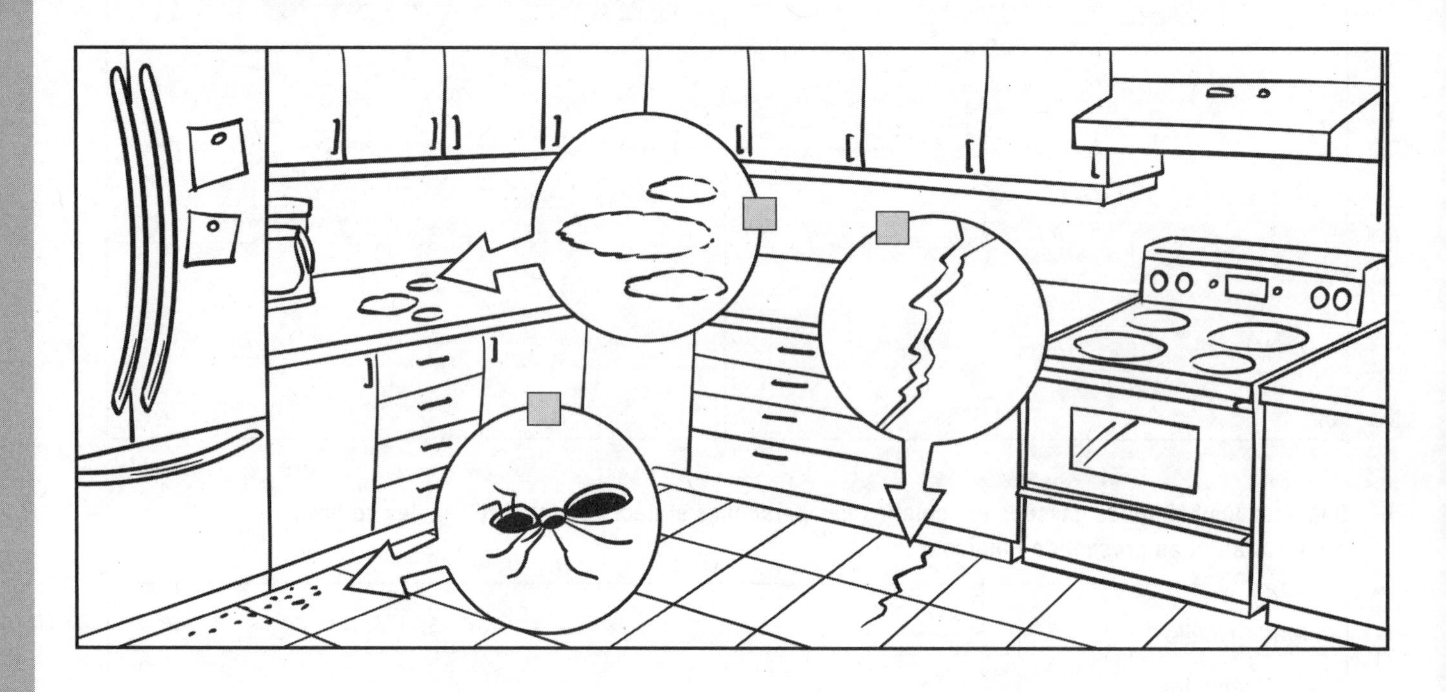

1. Il y a de la moisissure sur un mur.
2. Il y a des cernes sur le comptoir.
3. L'interrupteur ne marche pas.
4. Il y a des fourmis.
5. Le moustiquaire est déchiré.
6. Le miroir est brisé.
7. Le robinet du lavabo coule.
8. Il y a une fuite d'eau dans le plafond.
9. Il y a des souris.
10. Le **prélart** *(linoléum)* est déchiré.
11. La fenêtre est coincée.
12. La toilette est bouchée.

AUTOMNE 2

➤ Les outils

1. Replacez les lettres dans le bon ordre pour trouver le nom des outils.

	Définitions	Outils
a.	On l'utilise pour percer.	c e p r u e e s → une __ __ __ __ __ __ __ __
b.	On l'utilise pour planter des clous.	a r e m a u t → un __ __ __ __ __ __ __
c.	On l'utilise pour vérifier l'inclinaison d'une surface.	v i e n a u → un __ __ __ __ __ __
d.	On l'utilise pour mesurer.	b u a n r à e m s u r r e → un __ __ __ __ __ à __ __ __ __ __ __ __
e.	On l'utilise pour scier.	i s e c → une __ __ __ __
f.	On l'utilise pour déboucher une toilette ou un lavabo.	p h o n i s → un __ __ __ __ __ __
g.	On les utilise pour serrer ou pour tenir un objet.	s e c p i n → des __ __ __ __ __ __

➤ Les travaux de rénovation et d'entretien

1. Associez les spécialités aux outils de travail.

a. le déneigement
b. la gestion des parasites
c. l'entretien ménager
d. l'entretien paysager
e. la peinture
f. la plomberie

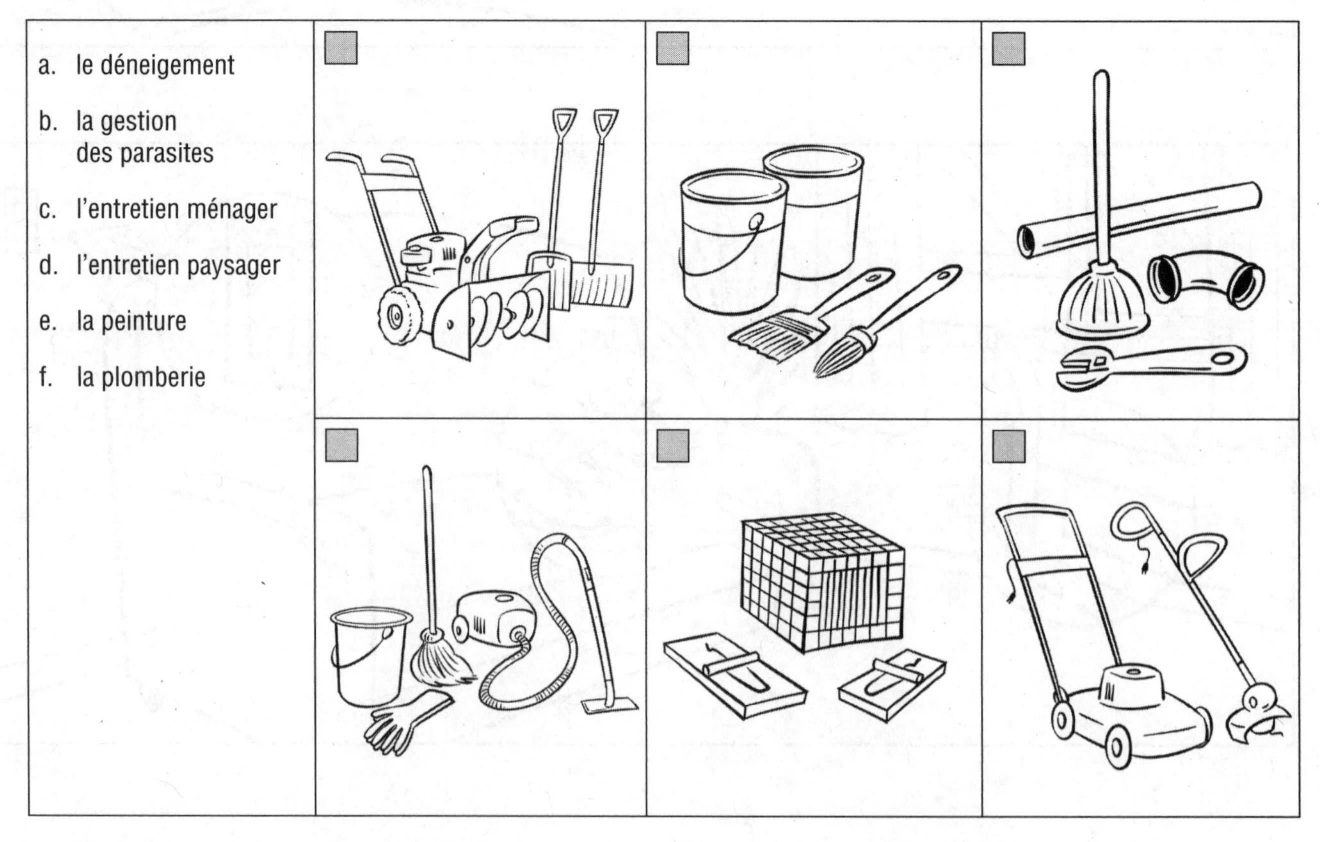

2. Complétez les noms de métiers et de professions liés à la construction, à la rénovation ou à l'entretien.

a.	un m___ n ___ ___ s ___ e r	d.	une é___e ___ t ___ i ___ i e ___ n ___
b.	une a ___ c ___ i t ___c___ e	e.	un ___o u___ r e___r
c.	un ém ___ ___ d ___ ___ r	f.	une p___o___b___è r___

3. Associez les spécialistes aux travaux à exécuter.

Spécialistes	
a. un couvreur / une couvreuse	e. un ou une architecte
b. un carreleur / une carreleuse	f. un électricien / une électricienne
c. un maçon / une maçonne	g. un homme ou une femme à tout faire
d. un plombier / une plombière	h. un entrepreneur général / une entrepreneure générale

Travaux à effectuer

- ☐ Rénover une salle de bain.
- ☐ Fixer des tablettes sur un mur.
- ☐ Déceler et colmater une fuite dans un tuyau.
- ☐ Réparer un toit qui fuit.
- ☐ Remplacer une toilette.
- ☐ Poser des tuiles de céramique.
- ☐ Bâtir une maison.
- ☐ Construire un four à pizza extérieur en pierres.
- ☐ Réfléchir à l'organisation physique d'une pièce à rénover.
- ☐ Installer un calorifère supplémentaire.
- ☐ Dessiner les plans d'une maison.
- ☐ Refaire un mur de briques.
- ☐ Ajouter une prise de courant.
- ☐ Poser des carreaux dans une douche.
- ☐ Installer un store dans une fenêtre.
- ☐ Changer le revêtement de la toiture.

MAITRISEZ LA GRAMMAIRE

➤ Faire soi-même ou faire faire par quelqu'un Mémo, p. 26

1. Faites des phrases à l'indicatif présent pour décrire les travaux que les personnes font elles-mêmes et ceux qu'elles font faire par quelqu'un. Utilisez le bon pronom tonique, lorsque nécessaire, et des déterminants possessifs.

	Personnes	Travaux	Soi-même	Par quelqu'un
	~~Mariette~~	~~nettoyer les fenêtres~~	✓	
a.	toi	installer les décorations de Noël	✓	
b.	vous	rénover la cuisine		✓
c.	moi	déneiger le stationnement	✓	
d.	David	déboucher le bain		✓
e.	mes voisins	tondre le gazon		✓
f.	Luc	ramoner la cheminée	✓	
g.	ta sœur	isoler le sous-sol		✓
h.	toi	changer le revêtement de plancher	✓	
i.	les filles	assembler la nouvelle commode	✓	
j.	moi	tailler la haie		✓

Ex. : Mariette nettoie ses fenêtres ***elle-même.***

a. ....

b. ....

c. ....

d. ....

e. ....

f. ....

g. ....

h. ....

i. ....

j. ....

➤ Situer un problème dans le temps de façon précise ou de façon approximative Mémo, p. 23

1. Indiquez si la durée du problème est précise ou approximative.

	Problème	Durée précise	Durée approximative
	Ça fait quelques jours qu'il n'y a plus d'eau chaude.		✓
a.	La douche est brisée depuis hier.		
b.	Le chauffage ne fonctionne plus dans le salon depuis ce matin.		
c.	Ça fait une vingtaine de jours que la fenêtre est cassée.		
d.	Depuis quelques heures, cette prise de courant ne marche plus.		
e.	L'escalier est brisé depuis quelques semaines.		
f.	Depuis cinq jours, il n'y a plus de pression dans la douche.		
g.	Ça fait à peu près quatre jours que la sécheuse est défectueuse.		
h.	La toilette est bouchée depuis hier soir.		
i.	Le thermostat de l'entrée fonctionne mal depuis mardi.		
j.	Il y a des souris dans la maison depuis environ un mois.		

2. Faites des phrases pour situer dans le temps les différents problèmes domestiques. Le symbole ± signifie que la durée du problème est approximative.

Ex. : (± 3 semaines, la porte arrière ferme mal) → *Ça fait environ trois semaines que la porte arrière ferme mal.*

a. (2 jours, le calorifère de la salle de bain est brisé) → ....

....

b. (± 15 jours, la hotte de la cuisinière ne fonctionne plus) → ....

....

c. (1 semaine, le robinet de l'évier coule) → ....

....

d. (± 10 heures, le chauffage ne fonctionne plus) → ....

....

e. (quelques jours, le frigo fait un drôle de bruit) → ....

....

➤ L'indicatif présent et l'expression *être en train de*

Mémo, p. 25

1. Écrivez ce que les personnes font, d'abord à l'indicatif présent, puis avec l'expression *être en train de*.

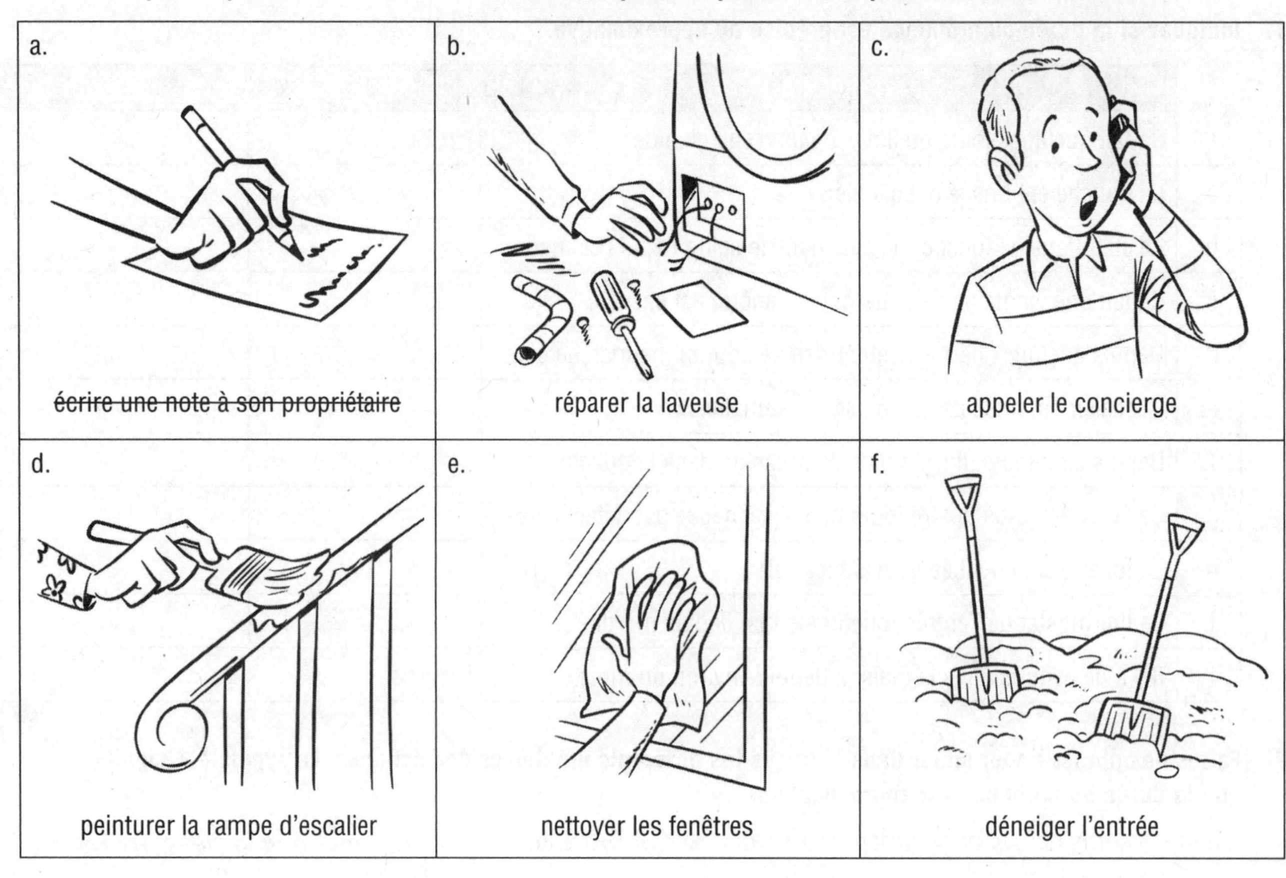

a. *Elle écrit une note à son propriétaire.*
Elle est en train d'écrire une note à son propriétaire.

b. ....

....

c. ....

....

d. ....

....

e. ....

....

f. ....

....

2. Transformez les phrases.

	Phrases à l'indicatif présent	Phrases avec *être en train de*
	Ma sœur parle avec la propriétaire.	Ma sœur est en train de parler avec la propriétaire.
a.	L'électricien répare la prise de courant.	
b.		La propriétaire est en train d'appeler un plombier.
c.		Mon père est en train de déboucher le tuyau.
d.	Vous examinez les dégâts.	
e.	Tu fermes le réservoir d'eau chaude.	
f.		Il est en train de chercher une lampe de poche.
g.	J'écris le numéro de téléphone de l'homme à tout faire.	
h.		Vous êtes en train de réfléchir à une solution.
i.	Ils remplacent le panneau électrique.	
j.		Mon fils est en train de tondre le gazon.
k.	L'entrepreneur évalue le cout des travaux.	
l.		Les locataires sont en train de nettoyer les tapis.
m.	Tu prends rendez-vous avec le réparateur.	

ÉPISODE 3 Épargner... pour mieux dépenser

INTÉGREZ LE VOCABULAIRE

➤ Les transactions bancaires

1. Complétez les phrases avec un mot de l'encadré.

compte • comptoir • guichet • succursale • transactions

a. Vous pouvez effectuer certaines opérations en tout temps au .... automatique.

b. Pour obtenir de l'argent américain, vous devez vous présenter au ....

c. Elle va à la banque pour ouvrir un .... et obtenir une carte de débit.

d. La .... située sur la rue Labelle est ouverte du lundi au samedi.

e. Le forfait Intelli-Plus comprend 25 .... par mois.

2. Reliez les définitions à la bonne transaction bancaire.

un dépôt •	• l'action de prendre de l'argent d'un compte bancaire
une hypothèque •	• la somme exigée par un prêteur en échange du prêt
l'intérêt •	• le fait d'utiliser un bien immobilier comme garantie afin d'obtenir un prêt
un retrait •	• un transfert d'argent d'un compte à un autre
un virement •	• l'action de mettre de l'argent dans un compte bancaire

➤ La publicité

1. Encerclez le bon terme.

a. Recevez *(une prime/une offrande)* à l'achat de deux produits ou plus.

b. Vous pouvez payer en six *(versements/suppléments)* de 24,95 $.

c. Achetez maintenant et payez plus tard, sans *(arrêt/intérêt)*.

d. Dépêchez-vous ! Cette promotion est offerte pour un temps *(saturé/limité)*.

e. Notre offre est *(en valeur/en vigueur)* jusqu'au 25 mars seulement.

➤ Commander à un comptoir Mémo, p. 32

1. Identifiez les plats typiques de restaurants rapides.

1. des croquettes de poulet
2. une frite
3. un hamburger
4. un hotdog
5. un pogo
6. une poutine

2. Qui parle ? Écrivez *C* si c'est un client ou une cliente et *E* si c'est un employé ou une employée.

a. Aimeriez-vous avoir un dessert avec ça ? ....

b. Ça vient avec un **breuvage** *(une boisson)* et un accompagnement. ....

c. Je vais prendre le format moyen, s'il vous plait. ....

d. Pour quatre personnes, quel format vous me recommandez ? ....

e. Est-ce que c'est inclus dans le prix ? ....

f. J'aimerais remplacer les frites par du riz. ....

g. Je vais vous apporter votre commande à votre table quand elle va être prête. ....

h. Le trio comprend une salade et un café pour 4 $ de plus. ....

➤ Les mets préparés

1. Associez les consignes aux images.

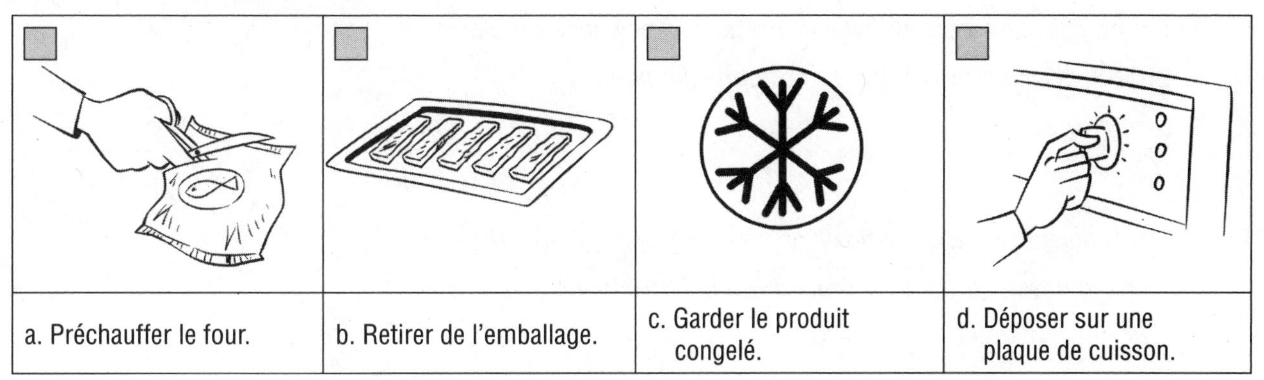

a. Préchauffer le four.	b. Retirer de l'emballage.	c. Garder le produit congelé.	d. Déposer sur une plaque de cuisson.

MAITRISEZ LA GRAMMAIRE

➤ La condition et l'hypothèse au présent Mémo, p. 32

1. Indiquez si les phrases expriment ou non une condition ou une hypothèse.

		La phrase exprime une condition ou une hypothèse.	La phrase n'exprime pas une condition ou une hypothèse.
	Si vous en achetez un, on vous en donne un.	✓	
a.	Vous recevez des points lors de chaque achat.		
b.	Des primes sont offertes les lundis.		
c.	Présentez le coupon si vous voulez obtenir 10 % de rabais.		
d.	Vous obtenez un café lorsque vous achetez un repas.		
e.	Tu vas l'adorer si tu l'essaies.		
f.	Nous vous remboursons si vous n'êtes pas satisfait.		
g.	Si vous payez comptant, vous obtenez un rabais.		
h.	Vous prenez seulement un café et un dessert.		
i.	On peut partager une assiette si tu n'as pas très faim.		
j.	Si vous voulez, vous pouvez les apporter à la maison.		

2. Utilisez les éléments donnés pour exprimer une condition ou une hypothèse. Utilisez le temps et la personne demandés.

Ex. : si + venir à la fête *(indicatif présent, 2e personne du singulier)* + apporter un plat *(impératif présent, 2e personne du singulier)*

→ Si tu viens à la fête, apporte un plat.

a. arriver tout de suite *(indicatif présent, on)* + si + avoir besoin d'aide *(indicatif présent, 2e personne du singulier)*

→ ....

b. si + ne pas être satisfaits *(indicatif présent, 2e personne du pluriel)* + rembourser *(indicatif présent, 1re personne du pluriel)*

→ ....

c. si + acheter cinq cafés *(indicatif présent, 2e personne du pluriel)* + obtenir une tasse gratuite *(indicatif présent, 2e personne du pluriel)*

→ ....

d. écrire de bons commentaires *(futur proche, 3e personne du singulier)* + si +
aimer son repas *(indicatif présent, 3e personne du singulier)*

→ ....

e. apporter une bouteille *(impératif présent, 2e personne du singulier)* + si +
vouloir la remplir *(indicatif présent, 2e personne du singulier)*

→ ....

f. si + vouloir une table près de la fenêtre *(indicatif présent, 2e personne du pluriel)* +
faire une réservation *(impératif présent, 2e personne du pluriel)*

→ ....

g. manger comme des rois *(futur proche, 1re personne du pluriel)* + si +
cuisiner *(indicatif présent, Marc)*

→ ....

h. si + apporter ses propres contenants *(indicatif présent, 3e personne du singulier)* +
obtenir un rabais de 10 % sur sa commande *(futur proche, 3e personne du singulier)*

→ ....

i. si + appeller *(indicatif présent,* Stéphane*)* +
écrire à Brigitte *(impératif présent, 2e personne du singulier)*

→ ....

j. embaucher un traiteur *(futur proche, 1re personne du singulier)* + si +
être plus que 10 personnes *(indicatif présent, 1re personne du pluriel)*

→ ....

3. Complétez les phrases pour exprimer une hypothèse ou une condition.

Ex. : Si vous voulez, *je peux vous donner une portion pour enfant.*

a. On ne reviendra pas ici ....

b. Si Martine est allergique aux noix, ...

c. Je vais donner un généreux pourboire ....

d. Si tu achètes ce produit, ...

e. Téléphonez ....

f. Si les clients ne sont pas contents, ...

ÉPISODE 4 Quoi de neuf?

INTÉGREZ LE VOCABULAIRE

➤ Les expressions utilisées lors de discussions informelles

Mémo, p. 36

1. **Classez les phrases employées dans des discussions informelles.**

Pour s'informer de l'autre	Pour inviter l'autre à donner des nouvelles	Pour piquer la curiosité	Pour marquer son étonnement
		a,	

➤ Le vocabulaire pour décrire une expérience touristique

1. **Lisez les commentaires et indiquez s'ils sont positifs (+) ou négatifs (–).**

a. Une expérience magique! ☐
b. Un spectacle à couper le souffle! ☐
c. Une soirée décevante… ☐
d. Il y avait beaucoup trop de monde. Dommage! ☐
e. L'organisation est complètement nulle! ☐
f. Une activité à ne pas manquer! ☐
g. Le personnel est très agréable. ☐
h. Un véritable attrape-touristes! ☐
i. À faire et à refaire! ☐
j. Nous avons été extrêmement déçus! ☐
k. Tout simplement exquis. ☐
l. Des artistes tout à fait spectaculaires! ☐

MAITRISEZ LA GRAMMAIRE

➤ Les marqueurs de temps Mémos, p. 35 et 36

1. Indiquez s'il s'agit d'évènements passés, présents ou futurs.

		ÉVÈNEMENTS		
		passés	présents	futurs
	Il va venir prendre un verre plus tard.			✓
a.	Je travaille présentement.			
b.	Ma fille déménage bientôt à Toronto.			
c.	Je ne me sens pas très en forme ces jours-ci.			
d.	On a acheté notre maison il y a longtemps.			
e.	Elle retourne aux études dans quelques jours.			
f.	Là, je promène mon chien.			
g.	Demain, on visite un appartement.			
h.	Elles sont venues me voir il y a quelques jours.			
i.	Avant-hier, j'ai reçu un appel de Camille.			
j.	Vous dinez ensemble après-demain.			

2. Observez ce que Julie a fait pendant la semaine et complétez les dialogues en utilisant *la veille*, *le jour même* ou *le lendemain*.

Lundi	Mardi	Mercredi	Jeudi	Vendredi
Diner Louise	Souper Michel	Blessure à la jambe	Rendez-vous médecin	Début exercices

a. — Est-ce que tu as mangé avec Michel lundi soir, finalement?
— Non, on a mangé ensemble ....

b. — Tu as réussi à avoir un rendez-vous avec un médecin, jeudi?
— Oui, j'ai eu un rendez-vous ....

c. — Vous vous êtes blessée à la jambe jeudi?
— Non, ..., pendant la soirée.

d. — As-tu vu du monde un peu cette semaine?
— Mardi soir, j'ai soupé avec Michel et ...., j'ai diné avec Louise.

e. — Vous avez commencé à faire vos exercices jeudi?
— Non, ...

4 AUTOMNE

➤ Trois temps de verbes de l'indicatif : le passé composé, le présent et le futur proche Mémo, p. 35

1. Indiquez si les verbes sont au passé composé, au présent ou au futur proche.

		Passé composé	Présent	Futur proche
	Ils vont faire un safari avec des amis.			✓
a.	J'attends de tes nouvelles bientôt !			
b.	On a fait un voyage vraiment mémorable.			
c.	Luc va t'appeler bientôt pour t'en parler.			
d.	Catherine a accouché : des jumeaux !			
e.	Je cherche un appartement plus grand.			
f.	Tu vas bruncher avec sa famille et lui.			
g.	Ma tante nous vend son auto.			
h.	Vous avez rencontré une spécialiste.			
i.	On va apporter une entrée et un dessert.			
j.	Je suis vraiment contente de te voir !			
k.	Marie a pris congé toute la semaine.			
l.	Ils écrivent au professeur de Thomas.			
m.	Tu réponds aussitôt que tu as la réponse.			
n.	Vous planifiez soigneusement vos vacances.			
o.	On a probablement oublié ça chez vous.			
p.	Les gens vont arriver vers midi.			
q.	Louis va accepter le poste à Toronto.			
r.	Elle se pose beaucoup de questions.			
s.	La petite dort environ onze heures par nuit.			
t.	Vous avez mangé sur la terrasse avec eux.			

2. Transformez les verbes.

	Passé composé	Présent	Futur proche
	elle a lu	*elle lit*	*elle va lire*
a.			je vais savoir
b.		on aime	
c.	ils sont sortis		
d.		nous vivons	
e.	tu as parlé		
f.			elles vont comprendre
g.			vous allez arriver
h.		elles regardent	
i.	vous êtes entrées		
j.			je vais faire
k.			il va regarder
l.		il prend	
m.		vous faites	
n.			nous allons chercher
o.	il a appris		
p.			tu vas arrêter
q.		j'espère	
r.	j'ai fini		
s.	nous avons ri		

3. Composez des phrases avec les pronoms donnés pour décrire les différents évènements. Utilisez des verbes à l'indicatif présent, au passé composé et au futur proche. Ajoutez des marqueurs de temps pour bien situer les évènements.

	Évènements passés	Évènements présents	Évènements futurs
Tu	• ~~avoir un petit accident~~ • aller au garage	• visiter des condos à vendre • prendre un verre avec un collègue	• rencontrer un conseiller à la banque
Elle	• souper avec son **chum** *(petit ami)* • dire « oui » à sa demande en mariage	• annoncer la nouvelle à sa famille	• envoyer des invitations • réserver le traiteur et les musiciens
Ils	• rentrer d'un voyage d'un mois en Espagne	• se reposer • défaire leurs bagages	• recevoir des amis à souper pour leur raconter leur voyage • commencer à penser à leur prochaine destination

Tu

Ex. : Il y a quelques jours, tu as eu un petit accident.

- ....
- ....
- ....
- ....

Elle

- ....
- ....
- ....
- ....
- ....

Ils

- ....
- ....
- ....
- ....
- ....

4. Numérotez les phrases pour replacer les histoires dans le bon ordre.

a. Jean-Marc

- ☐ En ce moment, il discute au téléphone avec le patron.
- ☐ Sur le site, il a vu une offre d'emploi intéressante.
- ☐ Il y a deux jours, il a passé l'entrevue de sélection.
- ☐ La semaine prochaine, il va commencer son nouvel emploi.
- ☐ La semaine passée, on l'a invité à une entrevue.
- ☐ Il y a une dizaine de jours, il a envoyé son CV.
- ☐ Hier, il a obtenu le poste.
- ☐ Il y a quelques semaines, il a consulté un site de recherche d'emploi.

b. Marie-Catherine

- ☐ Ce matin, elle est arrivée au travail à 9 h, comme d'habitude.
- ☐ Après, elle va donner le médicament à son fils et le mettre au lit.
- ☐ Elle est partie du travail pour aller chercher son fils malade.
- ☐ Là, elle est à la pharmacie et elle achète de l'acétaminophène.
- ☐ Demain, elle va rester à la maison pour s'occuper de lui.
- ☐ À 11 h, elle a reçu un appel de la garderie.

c. Claude

- ☐ Il a appris que le frigo ne pouvait pas être réparé.
- ☐ Mardi matin, il a appelé un réparateur.
- ☐ Le soir même, il a transféré ses aliments dans une glacière et dans le frigo de sa gentille voisine.
- ☐ Jeudi matin, il a appelé une amie pour aller magasiner un autre réfrigérateur.
- ☐ Il a acheté un nouveau frigo jeudi soir.
- ☐ Présentement, il attend la livraison de son nouveau frigo.
- ☐ Lundi soir, il s'est rendu compte que son frigo ne fonctionnait plus.
- ☐ Mercredi avant-midi, il a attendu l'arrivée du réparateur.

d. Judith

- ☐ Elle lui a proposé d'apporter le dessert.
- ☐ Avant-hier, elle a reçu une invitation à souper chez Julien, un ami.
- ☐ Hier soir, elle a fait un gâteau au chocolat.
- ☐ En ce moment, elle se prépare, s'habille.
- ☐ Un peu plus tard, elle va prendre le métro pour se rendre chez Julien.
- ☐ Ce matin, elle a acheté du vin.

e. Annabelle

- ☐ Ce jour-là, elles ont échangé leurs numéros de téléphone.
- ☐ Présentement, elles planifient un voyage ensemble.
- ☐ Le mois passé, elle a rencontré une amie d'enfance par hasard sur la rue.
- ☐ Bientôt, elles vont partir pendant trois mois pour visiter l'Amérique du Sud.

5. Observez les images et créez un récit. Utilisez les marqueurs de temps donnés et conjuguez les verbes au présent, au passé composé ou au futur proche.

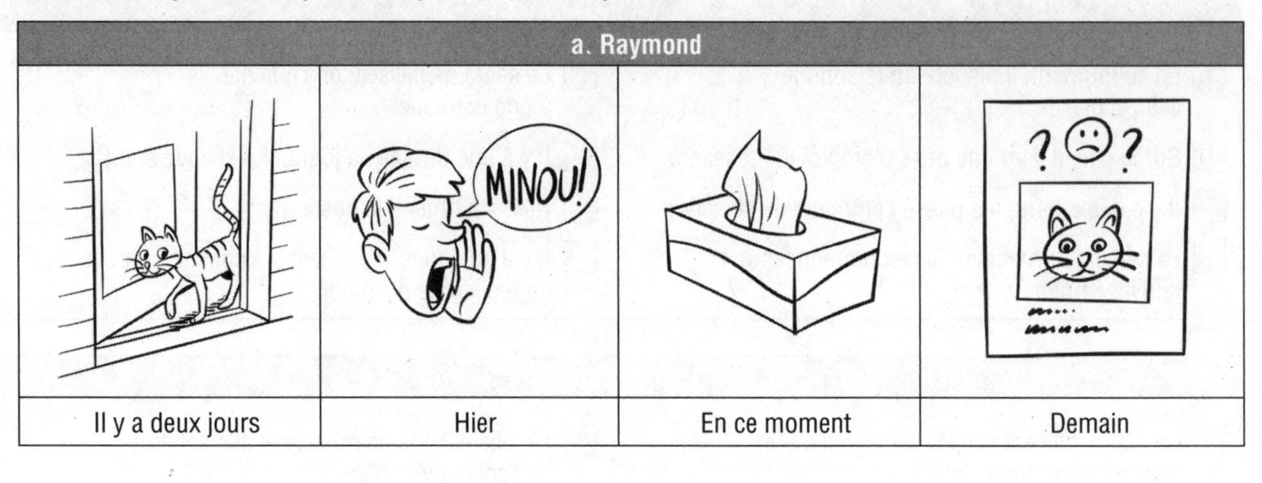

- ....
- ....
- ....
- ....

b. Sarah-Jeanne			
			SORTIE
Avant-hier	Ce matin	En ce moment	Un peu plus tard

- ....
- ....
- ....
- ....

6. Transformez les textes au temps demandé.

a. Texte au futur proche à réécrire au passé composé

Demain, mon ami André va arriver chez moi vers neuf heures. Nous allons prendre un café et nous allons parler pendant une trentaine de minutes. Ensuite, nous allons faire une promenade à vélo. Nous allons suivre la piste cyclable et nous allons nous rendre jusqu'au Vieux-Port. Nous allons nous reposer quelques minutes, puis nous allons retourner chez moi.

Samedi passé, ...

....

....

....

....

....

....

....

b. Texte au passé composé à réécrire au présent

Hier, Louis-Philippe a appelé sa mère, qui habite en France. Il lui a parlé de sa nouvelle vie au Québec. Il lui a décrit les travaux qu'il a effectués dans son appartement et il a discuté de son rêve de décrocher un emploi dans une compagnie de production de jeux vidéos. Après, il a raccroché et il est sorti avec sa chienne, Majesté, pour aller au parc. Il a rencontré sa voisine, ils ont jasé et ils ont ri. Ils ont fait des plans pour le lendemain.

Chaque samedi, ...

....

....

....

....

....

....

....

➤ La formation de la phrase négative avec un verbe au passé composé, au présent et au futur proche Mémo, p. 38

1. Cochez les phrases négatives.

a. Vous voulez qu'on soupe ensemble, mais vous ne savez pas à quel endroit. ☐

b. Je sais qu'il habite avec sa copine et qu'il travaille à Ottawa. ☐

c. Est-ce qu'elle va distribuer les brochures avec toi? ☐

d. Louise ne va pas attendre une semaine avant de lui répondre. ☐

e. Mes parents ont beaucoup aimé leur soirée avec vous. ☐

f. On n'a pas eu de nouvelles de lui depuis longtemps. ☐

g. La semaine prochaine, on va arriver un peu plus tôt. ☐

h. Bien évidemment, vous avez oublié de lui parler de mon problème. ☐

i. Il ne vient pas à la fête de Jonathan parce qu'il doit finir un travail pour l'université. ☐

j. J'ai noté l'adresse, mais je n'ai pas le numéro de téléphone. ☐

k. Ses commentaires, depuis quelques semaines, sont extrêmement négatifs. ☐

l. Vous n'avez jamais pensé à elle pour cet emploi. ☐

2. Dites les phrases à la négative.

*Attention ! N'oubliez pas qu'à l'oral, habituellement, le *ne* ou le *n'* disparait.

Ex. : J'aime la poutine. → *J'aime pas la poutine.*

a. Je comprends très bien ce que vous dites.

b. Elle a le temps de faire du yoga et de se reposer.

c. Vous avez eu besoin de votre GPS.

d. Les cyclistes arrêtent aux intersections.

e. Il va être vraiment content de te voir.

f. Tu dors super bien depuis ton retour de voyage.

g. Mes collègues ont bien entendu vos commentaires.

h. Les propriétaires de l'auberge sont très chaleureux.

i. On a pris le temps de consulter des spécialistes.

j. Ils ont toujours fait attention à tes choses.

3. Cochez les bonnes réponses.

a. Tu as fini de lire le journal?

Non, je n'ai pas fini. ☐

Non, je n'ai fini pas. ☐

Non, j'ai ne pas fini. ☐

b. Est-ce que vous allez chez Vincent aujourd'hui?

Non, on va ne pas chez Vincent. ☐

Non, on ne va pas chez Vincent. ☐

Non, on ne pas va chez Vincent. ☐

c. Elle va étudier à Ottawa?

Non, elle va ne pas étudier à Ottawa. ☐

Non, elle va n'étudier pas à Ottawa. ☐

Non, elle ne va pas étudier à Ottawa. ☐

4. Répondez aux questions avec des phrases négatives en utilisant le bon temps de verbe.

Ex.: Tu as accepté le poste que ton patron t'a offert? *Non, je n'ai pas accepté le poste.*

a. Est-ce que tes amis vont venir te voir bientôt?

....

b. Achètes-tu tes vêtements en ligne?

....

c. Est-ce que Cédric a obtenu son diplôme d'études collégiales?

....

d. Est-ce qu'elle va changer d'emploi prochainement?

....

e. Vous habitez en colocation avec votre cousine?

....

f. Est-ce qu'elle va accoucher en mars?

....

g. Tes parents ont-ils toujours approuvé tes décisions?

....

h. Vas-tu partir en voyage à la fin de tes études?

....

5. Transformez les phrases négatives.

	Passé composé	Présent	Futur proche
	Il n'a pas répondu à mes messages.	Il ne répond pas à mes messages.	Il ne va pas répondre à mes messages.
a.		Ils n'écoutent pas mes conseils.	
b.			Martin ne va pas appeler son frère.
c.		On ne parle pas aux étrangers.	
d.			Tu ne vas pas lire cet article sur l'environnement.
e.	Je n'ai pas signé le formulaire.		
f.	Vous n'avez pas fait d'erreur.		
g.			Ils ne vont pas entrer par la porte de devant.
h.		Tu ne regardes pas la météo.	
i.	Elle n'est pas arrivée en même temps que toi.		
j.			On ne va pas sortir avec nos amis et nos collègues.
k.		Je n'ai pas de difficulté à vous retrouver.	
l.			Ses grands-parents ne vont pas vouloir le rencontrer.
m.		Les fans n'achètent pas son nouveau disque.	
n.	Tu n'as pas compris ses explications.		
o.			Je ne vais pas attendre avant de répondre.

➤ La formation de la phrase interrogative avec un verbe au passé composé, au présent et au futur proche Mémo, p. 39

1. Transformez les phrases interrogatives. Respectez le temps de verbe donné.

	Intonation ascendante	*Est-ce que…*	Inversion du pronom sujet et du verbe ou de l'auxiliaire
	Il a préparé le souper?	Est-ce qu'il a préparé le souper?	A-t-il préparé le souper?
a.			Avez-vous des projets?
b.	Tu vas organiser un piquenique?		
c.		Est-ce qu'ils vont venir avec leurs enfants?	
d.	Elle va venir à pied?		
e.			Avez-vous passé de belles vacances?
f.	Tu déménages avec ta **blonde** *(petite amie)*?		
g.		Est-ce qu'elle a apporté un dessert?	
h.			Va-t-il rencontrer tes parents bientôt?
i.		Est-ce qu'on arrive avant le diner?	
j.	Ils ont fini les rénovations?		
k.		Est-ce que nous avons obtenu une augmentation?	
l.			Prend-il son bain le soir ou le matin?

2. Transformez les phrases suivantes en phrases interrogatives. Variez la formulation : intonation ascendante, *est-ce que*, inversion du pronom sujet et du verbe ou de l'auxiliaire.

Toi (tu)	Ton amie (elle)	Tes collègues (ils)
• ~~Tu étudies au cégep.~~ • Tu travailles à temps partiel. • Tu as fait un voyage en Chine l'an passé. • Tu n'aimes pas la bière. • Tu vas faire un stage l'été prochain.	• Elle a fini son bac en traduction le mois dernier. • Elle a trouvé un emploi dans son domaine. • Elle organise une fête pour célébrer tout cela. • Elle va déménager à Québec. • Son fils va entrer à la garderie.	• Ils ont été sympathiques avec toi à ton arrivée. • Ils partagent leurs connaissances pour créer les meilleurs produits. • Ils vont recevoir un prix d'excellence prochainement. • Ils vont aller prendre un verre jeudi après le travail.

Toi

Ex. : Étudies-tu au cégep ?

• ....

• ....

• ....

• ....

Ton amie

• ....

• ....

• ....

• ....

• ....

Tes collègues

• ....

• ....

• ....

• ....

3. **Transformez les phrases interrogatives en inversant le pronom sujet et le verbe (ou l'auxiliaire). Respectez le temps de verbe donné.**

Ex. : Tu passes la fin de semaine dans un chalet avec des amis ?
→ *Passes-tu la fin de semaine dans un chalet avec des amis ?*

a. Vous avez fini de repeindre votre salle de bain ?

b. Ils vont prendre des vacances bientôt ?

c. Tu reçois souvent des nouvelles d'elle ?

d. Je dois accepter sa suggestion ?

e. Elle a changé la couleur de ses cheveux ?

f. Vous allez arriver vers 8 h ?

g. Tu passes la journée au lit ?

h. Elles ont participé à tous les évènements ?

i. Tu es partie la première ?

j. Il va prendre quelques jours pour y penser ?

4. **Changez le temps du verbe pour avoir une phrase interrogative au passé, une au présent et une au futur.**

Ex. : Vas-tu apporter une entrée ou un dessert ?
→ *As-tu apporté une entrée ou un dessert ?*
→ *Apportes-tu une entrée ou un dessert ?*

a. Êtes-vous partis en même temps que Richard ?

b. Fait-elle du yoga pendant ses journées de congé ?

c. Va-t-on conserver tous les vêtements de bébé ?

d. Prennent-ils des vacances ensemble cette année ?

ÉPISODE 6 Les nouvelles de la journée

INTÉGREZ LE VOCABULAIRE

➤ Le vocabulaire de la presse

1. Identifiez les rubriques.

1. une chronique 2. un fait divers 3. un horoscope
4. une lettre ouverte 5. une notice nécrologique 6. une petite annonce

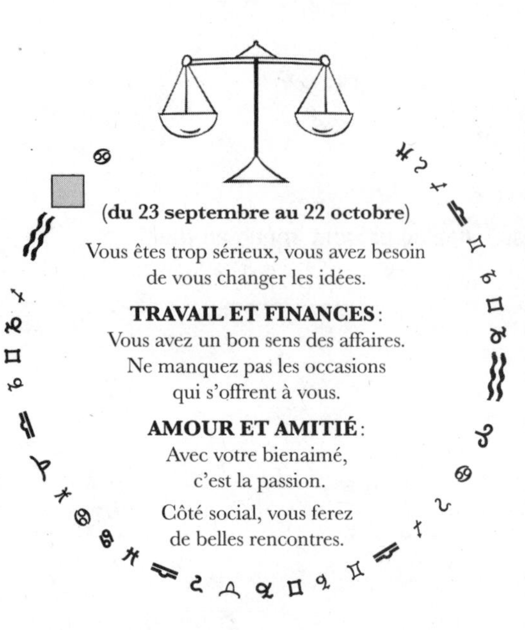
(du 23 septembre au 22 octobre)
Vous êtes trop sérieux, vous avez besoin de vous changer les idées.

TRAVAIL ET FINANCES : Vous avez un bon sens des affaires. Ne manquez pas les occasions qui s'offrent à vous.

AMOUR ET AMITIÉ : Avec votre bienaimé, c'est la passion.
Côté social, vous ferez de belles rencontres.

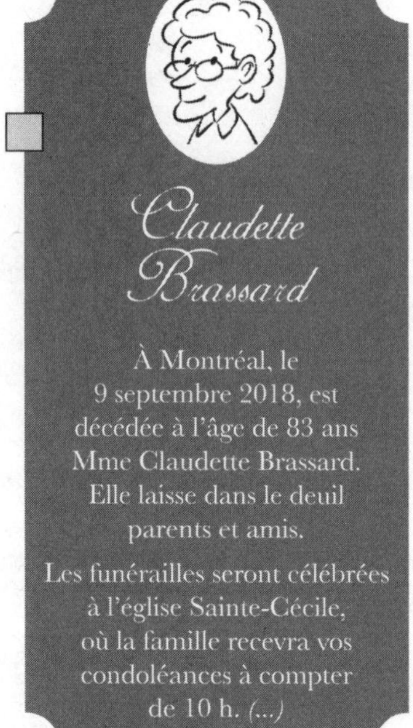
Claudette Brassard

À Montréal, le 9 septembre 2018, est décédée à l'âge de 83 ans Mme Claudette Brassard. Elle laisse dans le deuil parents et amis.

Les funérailles seront célébrées à l'église Sainte-Cécile, où la famille recevra vos condoléances à compter de 10 h. *(...)*

YVES LEBLANC 15 aout 2018

L'ANNÉE DE TOUS LES POSSIBLES

J'avais 9 ans et je commençais l'année dans la classe de madame Pomerleau. Mes amis de toujours, le grand Dubé et Carrière, étaient dans ma classe. La belle Josée aussi. *(...)*

LA VOIX DE L'EST
30 juillet 2018

LE SALAIRE DES MÉDECINS : ASSEZ POUR RENDRE MALADE

Par Nathalie Léger, étudiante en médecine

Depuis 2016, j'étudie au doctorat en médecine à l'Université de Montréal. Depuis l'automne, je suis en session sabbatique, ce qui me donne le temps de réfléchir à mon choix de carrière, à mon avenir et à la profession médicale. *(...)*

Vente de succession

Frigo, microonde 1 000 W, laveuse super capacité, sécheuse, échelle 21 pi, meuble télé et télévision, table de chevet, dactylo Select II, etc. 200 $ pour le tout ou meilleure offre. 514 523-1523

Un accident de la route fait deux blessés graves sur la route 132

Vers 9 h 30, samedi matin, un accident impliquant une voiture et un cycliste est survenu sur la route 132, à Montmagny. Deux des personnes impliquées ont été gravement blessées, et on craint pour leur vie. L'enquête, actuellement en cours, devrait permettre de déterminer la cause de l'accident.

MAITRISEZ LA GRAMMAIRE

➤ La phrase active et la phrase passive Mémo, p. 52

1. Indiquez si les phrases sont à la forme active ou à la forme passive.

		Forme active	Forme passive
	La chanteuse a été accueillie par ses admirateurs.		✓
a.	Notre voisine observait la scène par sa fenêtre.		
b.	Les ambulanciers ont transporté la victime à l'hôpital.		
c.	L'alarme a été déclenchée par les voleurs.		
d.	Ces matchs de tennis ont été interrompus par la pluie.		
e.	Elle a rencontré son cousin dans un parc, par hasard.		
f.	Une dame de 84 ans a été sauvée par son chien.		
g.	Les témoins ont été interrogés par l'enquêteur.		
h.	Les cambrioleurs sont entrés par la porte principale.		
i.	Ils ont communiqué avec eux par courriel.		
j.	Une douzaine de chats ont été secourus par les bénévoles.		
k.	Une cycliste a été happée par un autobus scolaire.		

2. Replacez les mots des réponses dans le bon ordre.

Ex. : Qui a choisi les lauréats ?

(Les) (par) (les membres) (lauréats) (choisis) (du jury.) (ont été)

Les lauréats ont été choisis par les membres du jury.

a. Qui est le nouveau président de la compagnie ?

(compagnie.) (a été) (Monsieur) (nommé) (président) (de la) (Simon Dubé)

....

b. Combien de gens ont vu son dernier film ?

(environ) (été vu) (Son) (dernier) (600 000) (film) (a) (personnes.) (par)

....

c. Qui traite les plaintes des clients ?

(des clients) (le Service) (les plaintes) (à la clientèle.) (sont examinées) (par) (Toutes)

....

6 HIVER

d. Qui a allumé le feu?

(été) (un pyromane.) (a) (L'incendie) (par) (allumé)

....

e. Qui a gagné le gros lot de 25 millions?

(par) (d'un dépanneur) (a été remporté) (de Trois-Rivières.) (cinq employés) (Le gros lot)

....

3. Complétez les phrases.

	Forme active	Forme passive
	Les pompiers ont secouru *les passagers.*	Les passagers ont été secourus par les pompiers.
a.	Les spécialistes ont produit des rapports détaillés.	.... ont été produits par ....
b.	Les amateurs de musique classique .... cette grande pianiste.	Cette grande pianiste est admirée par les amateurs de musique classique.
c.	.... recherche	Les fraudeurs sont recherchés par le fisc.
d.	Le fabricant rappelle les produits défectueux.	Les produits défectueux .... par le fabricant.
e.	.... acceptent	Cette carte est acceptée par toutes les institutions financières.
f.	Les participants applaudissent les organisateurs de l'évènement.	Les organisateurs de l'évènement .... par les participants.
g.	Les bénévoles .... tous les aliments.	Tous les aliments ont été distribués par les bénévoles.

➤ Le pronom de reprise *y* Mémo, p. 54

1. Écrivez ce qu'on fait dans les différents lieux. Utilisez le pronom *y*.

	Lieux	Ce qu'on y fait
	un zoo	*On y observe des animaux.*
a.	une banque	
b.	une école	
c.	un centre dentaire	
d.	un bar	
e.	une clinique médicale	
f.	un aéroport	
g.	un parc d'attractions	
h.	une bibliothèque	

2. Transformez les phrases en remplaçant le groupe de mots qui indique le lieu par le pronom *y*.

Ex. : Elle va dans ce parc deux fois par jour. → *Elle y va deux fois par jour.*

a. Vous vous arrêtez à ce restaurant après une grosse journée de travail.

b. Nous allons les retrouver au poste de police vers 10 h.

c. Ce matin-là, un colis suspect se trouvait sur son bureau.

d. Tu vas le rejoindre au parc en avant-midi.

e. La secrétaire n'est pas à son poste de travail en ce moment.

f. Il se rend à la bibliothèque en vélo ou à pied.

g. Dans ce magasin, vous allez trouver ce que vous cherchez.

ÉPISODE 7 Belle nouvelle !

INTÉGREZ LE VOCABULAIRE

➤ Les cartes de souhaits

1. Associez les messages aux bonnes cartes.

a. Tu es la star du jour ! Je te souhaite une merveilleuse journée !
b. Recevez toute mon affection et sachez que je suis à vos côtés dans cette épreuve.
c. Je n'oublierai jamais ce que vous avez fait pour moi !
d. Que cette journée soit remplie de bonheur, de rires et d'amour !
e. Votre présence, votre confiance et votre générosité me touchent beaucoup.
f. C'est avec une grande tristesse que j'ai appris le décès de votre père.

2. Numérotez les phrases des deux textes de cartes de souhaits pour les remettre les textes dans le bon ordre, puis cochez de quelle occasion il s'agit.

☐ Dans quelques jours, ce sera ta dernière journée parmi nous. ☐ Profite bien de ta nouvelle vie ! ☐ Cher Jacques, ☐ Ce fut un réel plaisir de travailler à tes côtés. ☐ Comme je te connais, tu ne vas pas t'ennuyer !	☐ J'ai appris beaucoup grâce à vous et aux nombreux conseils que vous m'avez donnés. ☐ En cette année qui se termine, je tiens à vous dire un énorme merci. ☐ Je garderai toujours un excellent souvenir de vous. ☐ Encore une fois, merci de tout cœur ! ☐ Madame Laprise,
☐ Anniversaire de mariage ☐ Saint-Valentin ☐ Retraite ☐ Voyage	☐ Félicitations ☐ Remerciements ☐ Condoléances ☐ Nouvelle année

➤ Féliciter quelqu'un (, p. 60)

1. Cochez les expressions qui servent à féliciter quelqu'un.

☐ J'espère de tout cœur que vous surmonterez cette épreuve rapidement.

☐ Bravo!

☐ Toutes mes félicitations!

☐ C'est tellement plate!

☐ Ça n'a aucun bon sens!

☐ Je suis très heureuse pour toi!

☐ On est vraiment contentes pour toi!

☐ Je suis folle de joie pour vous!

☐ Nous sommes très fiers de vous!

☐ Vous devez être affreusement déçus!

2. Rédigez un court message de félicitations à partir de la situation donnée.

a. Anne-Sophie, votre collègue, vient d'obtenir une promotion.

....

....

....

....

....

....

....

....

b. Stéphane, un de vos bons amis, se marie.

....

....

....

....

....

....

....

....

➤ Les spécialités médicales

1. Complétez les noms des spécialités médicales.

Partie de la médecine qui s'intéresse...	
a. aux problèmes de nez, de gorge, d'oreilles	___ t ___ r h ___ n o ___ a ___ ___ n ___ o l ___ g ___ e
b. aux maux de dos et à l'arthrite	___ ___ u ___ a ___ o l ___ ___ i ___
c. aux rayons X et aux imageries pour poser un diagnostic	r ___ ___ i ___ l ___ g ___ ___
d. aux problèmes de peau	___ ___ r ___ a ___ o l ___ ___ i e
e. aux maladies des enfants	p ___ d ___ ___ t ___ i ___
f. au cœur et à ses maladies	c ___ ___ d ___ ___ l ___ ___ i e
g. au squelette, aux os, aux muscles	___ r ___ ___ o ___ é ___ i e
h. aux maladies des personnes âgées	g ___ ___ i ___ t ___ i ___

➤ Demander des indications dans un hôpital Mémo, p. 63

1. Écrivez *D* si la phrase sert à demander des indications et *F* si elle sert à en fournir.

a. C'est au même étage que la cardiologie? ....

b. Rendez-vous en gériatrie, vous allez trouver le bureau du docteur Lambert. ....

c. J'ai un rendez-vous en clinique externe. C'est à quel endroit? ....

d. L'unité des naissances est dans quel pavillon? ....

e. La rhumatologie est-elle dans le même coin que l'orthopédie? ....

f. Vous devez redescendre au 2e étage et prendre le premier corridor à gauche. ....

g. Il me semble que c'est au 4e étage, à droite en sortant de l'ascenseur. ....

h. Demandez à l'agent de sécurité, je ne suis pas certain. ....

i. Les ascenseurs sont dans quelle direction? ....

j. Suivez les cercles jaunes sur le plancher, vous allez arriver en radiologie. ....

MAITRISEZ LA GRAMMAIRE

➤ Les superlatifs Mémos, p. 60

1. Complétez les phrases avec un mot de l'encadré et un superlatif de supériorité (+) ou d'infériorité (–).

~~difficiles~~ (+) • compliquée (–) • récentes (+) • efficace (–) • belle (+) • fréquentes (+) • ennuyant (+) • occupés (–) • chers (–) • charmant (+) • talentueux (–)

Ex. : Dans un nouvel emploi, les premières journées sont souvent *les plus difficiles*.

a. Quel sourire ! Votre fils est .... des enfants !

b. Dans cet hôpital à la fine pointe, on utilise les technologies ....

c. C'est la recette de gâteau .... de tout le livre.

d. Cet appareil fonctionne très lentement ; c'est .... de tous.

e. Le guitariste est le musicien .... du groupe.

f. Bizarrement, son mariage n'a pas été .... journée de sa vie.

g. Je n'aime pas ces romans, et le dernier est ....

h. Ces deux questions sont .... chez les nouveaux employés.

i. Il voulait acheter les souliers ....

j. Ces hôpitaux sont .... de la région.

2. Complétez avec *le meilleur* ou *le pire*. Faites les accords nécessaires.

Ex. : Mes idées sont très bonnes, mais les siennes sont toujours *les meilleures*.

a. Son résultat est excellent. C'est .... du groupe.

b. Cette décision est très mauvaise. Je crois que c'est .... de votre carrière.

c. Vous confectionnez .... pâtisseries de la province ! Elles sont divines !

d. Nous vivons .... catastrophe des 20 dernières années.

e. Paresseux et imbéciles, ils sont .... étudiants de la classe.

3. **Complétez les phrases avec un superlatif de supériorité ou d'infériorité.**

a. Aujourd'hui, c'est la journée…

b. Le spectacle de cette troupe de danseurs est…

c. Le français, c'est la langue…

d. Les critiques de nos amis sont…

e. Ce professeur est…

f. Faire une sieste est l'activité…

g. Un repas entre amis, c'est…

h. Les voitures électriques sont…

i. Le dernier appartement que j'ai visité était…

j. Le chocolat chaud de cette chocolaterie est…

➤ Les pronoms de reprise *lui* et *leur* Mémo, p. 61

1. **Écrivez les groupes de mots que les pronoms *lui* et *leur* reprennent dans les phrases.**

	Phrases	Groupes de mots repris par *lui* et *leur*
	J'ai rencontré mon médecin et je **lui** ai parlé de mes symptômes.	mon médecin
a.	Tu t'occupes bien de tes chats et tu **leur** donnes beaucoup d'amour.	
b.	Vous mangez avec votre meilleure amie et vous **lui** racontez vos récentes aventures.	
c.	Madeleine va souper avec Paul et elle va **lui** proposer un contrat.	
d.	Ils invitent les parents pour **leur** transmettre des informations.	
e.	Lorsque nous avons reçu les résultats, nous avons contacté les chercheurs et nous **leur** avons demandé des précisions.	
f.	Je dois parler à mon conjoint pour **lui** dire ce que j'en pense.	
g.	Les patrons organisent une soirée avec les employés pour **leur** présenter les nouveaux produits.	
h.	Il dort avec son chien et il **lui** cuisine même des biscuits.	
i.	Mon ami me montre un document qu'il a reçu et il me demande de le **lui** traduire.	

2. Composez des phrases avec *lui* et *leur* à partir des actions données.

a. Marc rend visite à ses petites nièces.

- ~~apporter des cadeaux~~
- lire des histoires
- raconter des blagues

- Il leur apporte des cadeaux.
- ....
- ....

b. Marie-France adore son cochon miniature.

- donner un bain une fois par semaine
- faire faire des promenades au parc
- préparer des repas sur mesure

- ....
- ....
- ....

c. Guy et Suzanne prennent soin de leur vieille voisine.

- organiser des sorties spéciales
- rendre visite régulièrement
- passer un coup de fil chaque jour

- ....
- ....
- ....

3. Complétez les phrases avec *leur* ou *leurs*. Indiquez si *leur* est un pronom ou un déterminant.

		Pronom	Déterminant
	Je vais leur demander des précisions.	✓	
a.	Ils doivent absolument apporter .... matériel.		
b.	Pouvez-vous .... dire de passer par l'arrière ?		
c.	.... demandes ne sont pas du tout réalistes.		
d.	Je veux .... présenter mes projets.		
e.	Tu peux .... envoyer un texto.		

7 HIVER

ÉPISODE 8 Aux petits soins

INTÉGREZ LE VOCABULAIRE

➤ Les fiches-conseils

1. Associez les conseils ou les informations à la bonne fiche.

a. Pour un meilleur soulagement, choisissez des pastilles qui contiennent un anesthésique (ex. : la benzocaïne). 1

b. Ils sont transmis par contact direct (tête à tête) avec une personne infestée ou par contact indirect par l'intermédiaire de peignes, de brosses, de chapeaux, d'écharpes ou de literie contaminés. ....

c. Manger de la crème glacée ou du miel, boire du jus de citron, sucer un cube de glace, se gargariser avec de l'eau et du sel… Il existe plusieurs trucs de famille qui peuvent aussi aider à apaiser l'irritation. ....

d. Il peut être présent quelques jours en cas de rhume, mais aucun traitement n'est requis, car cette infection virale partira d'elle-même. ....

e. Les biscuits de dentition sont à éviter, car le sucre qu'ils contiennent peut favoriser la carie. ....

f. Ouvrez les fenêtres pour respirer de l'air frais. ....

g. Demandez au conducteur de prendre les virages doucement. ....

h. La démangeaison et le grattage, particulièrement sévères pendant la nuit, sont les premiers indices d'une infestation. ....

i. Frottez doucement ses gencives avec votre doigt. N'oubliez pas de bien vous laver les mains avant de procéder ! ....

j. Les enfants de 5 à 12 ans sont plus susceptibles d'être infestés, peu importe la longueur de leurs cheveux. ....

k. Frottez-lui doucement les gencives avec une débarbouillette propre et mouillée. ....

l. Ne lisez surtout pas, ne feuilletez même pas un magazine. ....

1. 

2. 

3. 

4. 

➤ Les modes d'emploi

1. Indiquez de quel(s) mode(s) d'emploi sont tirées ces instructions.

	Instructions	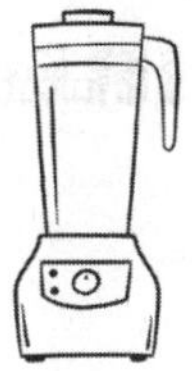 Mélangeur	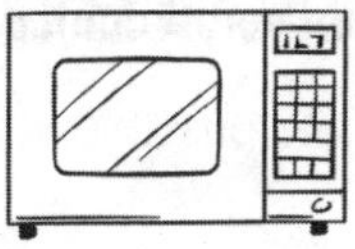 Four micro-ondes	 Tablette	 Séchoir à cheveux
	Bien nettoyer à l'eau savonneuse avant la première utilisation.	✓	✓		
a.	Manipulez les récipients avec précaution après la cuisson.				
b.	Ne pas utiliser si le cordon est endommagé.				
c.	Lisez attentivement le mode d'emploi afin d'utiliser votre appareil correctement et en toute sécurité.				
d.	Ne pas utiliser avec les mains humides.				
e.	Ne faites jamais fonctionner à vide.				
f.	Chargez la batterie avant d'utiliser l'appareil pour la première fois.				

➤ Les messages téléphoniques

1. Numérotez les phrases (1, 2, 3...) pour replacer les messages téléphoniques dans le bon ordre.

MESSAGE A	MESSAGE B
☐ Si vous comptez y participer, merci de confirmer votre présence au 514 523-1523.	☐ Je t'appelle parce qu'il faut que je finisse quelque chose au travail et que je ne pourrai pas aller chercher Maxence à l'école à temps.
☐ Bonjour, le message s'adresse aux parents de Samuel.	☐ Accepterais-tu d'aller le chercher et de le garder chez toi une heure ou deux ?
☐ Je vous appelle pour vous rappeler qu'il y aura une assemblée générale pour les parents le 25 novembre.	☐ Allo Mélanie, ici Marie-Hélène, la mère de Maxence.
☐ Ici Véronique Lepage, la secrétaire de l'école L'Envolée.	☐ Tu peux me rappeler sur mon cellulaire. Merci beaucoup !
☐ Bonne journée !	

MAITRISEZ LA GRAMMAIRE

➤ Le subjonctif présent Mémo, p. 65

1. Cochez les phrases qui contiennent un verbe conjugué au subjonctif présent.

a. Il faut que vous finissiez le plus vite possible. ☐

b. J'espère sincèrement que tu vas réussir. ☐

c. Il est nécessaire que vous fournissiez tous les documents. ☐

d. Il faut suivre toutes les étapes à la lettre. ☐

e. Vous pensez que nous avons oublié notre rendez-vous. ☐

f. Ils n'ont pas le droit de vendre ces médicaments. ☐

g. Maintenant, il faut qu'elle fasse plus attention à sa santé. ☐

h. On se demande si elle veut vraiment déménager avec lui. ☐

i. Si vous l'aimez, vous devez agir vite. ☐

j. Il faut que je prenne quelques jours pour penser à son offre. ☐

k. Il n'y a pas une minute à perdre : il faut que tu sois courageuse. ☐

l. N'attendez plus, venez nous rencontrer dès demain ! ☐

2. Associez les verbes à l'infinitif aux verbes conjugués au subjonctif présent.

Subjonctif présent		Infinitif
a. que je fasse	☐	1. aller
b. que vous disiez	☐	2. apprendre
c. que tu aies	☐	3. dire
d. qu'elles apprennent	☐	4. venir
e. qu'on prenne	☐	5. finir
f. que je sois	☐	6. être
g. que tu boives	☐	7. lire
h. qu'elle finisse	☐	8. prendre
i. que je lise	☐	9. boire
j. qu'ils viennent	☐	10. faire
k. que vous alliez	☐	11. avoir

3. Transformez les verbes.

	Infinitif	Subjonctif présent
	dire	que tu *dises*
a.		qu'elles soient
b.	faire	qu'il ....
c.	venir	que vous ....
d.		que nous comprenions
e.		que tu saches
f.	avoir	qu'on ....
g.		que vous alliez
h.		que je reçoive
i.	revenir	que tu ....
j.	prendre	qu'il ....
k.		que j'aie
l.	parler	que nous ....
m.	finir	que je ....
n.		qu'on écrive
o.		que vous demandiez

ÉPISODE 9 Comment te sens-tu ?

INTÉGREZ LE VOCABULAIRE

➤ Les problèmes de santé graves

1. Associez les symptômes aux problèmes de santé.

a. un AVC (accident vasculaire cérébral)
b. un calcul rénal
c. un cancer du sein
d. une commotion cérébrale
e. une crise cardiaque
f. une dépression
g. une fracture
h. une pneumonie

☐ 1. Pascal ressent un serrement et une brulure à la poitrine. Il a de la difficulté à respirer, il a des sueurs froides et il est étourdi. Il a mal au cou, à l'épaule et au bras.	☐ 5. Stéphane s'est frappé la tête et il a perdu conscience. Il a mal à la tête, il est étourdi et il a mal au cœur. Il se sent fatigué et il oublie certaines choses.
☐ 2. Alain a des douleurs soudaines et intenses dans le dos. Il a mal au cœur et il a vomi. Il a souvent envie d'uriner et il a remarqué qu'il y a un peu de sang dans son urine.	☐ 6. Claude a soudainement très mal à la tête. Sa vision est trouble et il a de la difficulté à parler. Son visage est affaissé et le côté droit de son corps est engourdi. Il a de la difficulté à garder son équilibre lorsqu'il est debout.
☐ 3. Geneviève fait de la fièvre et elle tousse. Elle se sent très fatiguée. Elle est essoufflée et elle a des douleurs au dos quand elle inspire.	☐ 7. Christian est fatigué. Il mange peu et ne dort pas beaucoup. Il a de la difficulté à se concentrer et se sent triste.
☐ 4. Madeleine se sent fatiguée depuis quelques semaines. Elle trouve que sa poitrine a une forme différente et elle sent une petite bosse sous son aisselle.	☐ 8. Martine a une douleur intense au poignet ; elle est incapable de le bouger. Son poignet est bleu et enflé, et il semble déformé.

➤ Les explications d'un professionnel de la santé

1. Qui parle ? Écrivez *M* si c'est le ou la médecin et *P* si c'est le patient ou la patiente.

a. Est-ce que c'est un bon ou un mauvais signe? ....
b. C'est plus difficile pour moi de comprendre parce que je suis un peu nerveux. ....
c. Vous allez rencontrer un psychologue et une travailleuse sociale. ....
d. On va vous garder en observation. ....
e. Qu'est-ce qui va se passer après ça? ....
f. Vous allez être transférée en cardiologie. ....
g. Je vais revenir évaluer votre état demain. ....
h. Est-ce qu'il y a des choses que vous ne comprenez pas bien? ....

➤ Les actes médicaux

1. Associez les situations aux actes médicaux.

a. une césarienne
b. une auscultation
c. une biopsie
d. une chirurgie
e. une échographie
f. un électrocardiogramme
g. une mammographie
h. une radiographie

☐ 1. Une imagerie médicale par ultrasons permet au médecin de s'assurer de la bonne croissance du bébé de Marie-France.	☐ 5. Antoine s'est peut-être cassé l'index. La médecin doit obtenir une image des os de son doigt pour voir s'ils sont fracturés.
☐ 2. Le médecin de Michel souhaite prélever un bout de tissu de son poumon pour l'examiner, car il soupçonne la présence d'un cancer.	☐ 6. Le médecin de Rachel écoute son cœur et ses poumons lors de son examen de santé annuel.
☐ 3. Quelque temps après sa crise cardiaque, Jacques se rend à l'hôpital pour subir un test qui vérifiera le fonctionnement de son cœur.	☐ 7. Chaque année, Diane subit un examen des seins afin de s'assurer qu'il n'y a pas de petites bosses ou de tissus anormaux.
☐ 4. Après 40 semaines de grossesse, Sonia va donner naissance à son enfant. À cause de la position du bébé dans l'utérus, une intervention chirurgicale sera nécessaire.	☐ 8. La petite Madeleine se fait opérer : le médecin va lui retirer les amygdales.

➤ Les commentaires sur l'état de santé de quelqu'un

1. Indiquez si les commentaires sur l'état de santé, le moral ou la situation sont plutôt positifs ou plutôt négatifs.

		☺	☹
a.	Son état se détériore rapidement.		
b.	Il fait pitié.		
c.	Je reprends du poil de la bête.		
d.	Ça regarde mal.*		
e.	Il a le moral à terre.*		
f.	Elle en arrache vraiment.*		
g.	Ça va comme sur des roulettes !*		

*Expressions familières utilisées à l'oral dans des situations informelles.

MAITRISEZ LA GRAMMAIRE

➤ Le passé récent Mémo, p. 72

1. Transformez les phrases.

	Présent de l'indicatif	Passé récent
	On apprend la nouvelle.	*On vient d'apprendre la nouvelle.*
a.	Elle pose une question.	
b.	Vous rencontrez le spécialiste.	
c.	Tu acceptes les conditions.	
d.	Ta mère obtient un diagnostic.	
e.	Je rencontre le médecin.	
f.	Ses parents arrivent.	
g.	Mylène finit ses études.	
h.	La petite s'endort.	
i.	On entend un cri.	
j.	Le médecin explique la situation.	
k.	Vous vous assoyez.	
l.	Nous allons à l'hôpital.	

2. Dites ce que les personnes ont fait récemment. Utilisez le passé récent.

Ex. : Tu viens de subir une opération.

Toi	Martine	Jean et Louis
• ~~subir une opération~~ • commencer un nouvel emploi • arriver dans un nouveau pays • changer de mode de vie	• rencontrer quelqu'un • perdre son cellulaire • réaliser qu'elle a perdu les numéros de téléphone de tous ses contacts • faire une crise de nerfs pendant un diner avec une amie	• se rencontrer • emménager ensemble dans un nouvel appartement • refaire toute la décoration • s'acheter un beau petit chaton

➤ L'imparfait de l'indicatif Mémo, p. 74

1. Cochez les phrases qui contiennent un verbe conjugué à l'imparfait.

a. Ces deux vieillards attendaient patiemment dans la salle d'attente. ☐

b. Il a subi une opération au printemps dernier. ☐

c. Tu fumais au moins un paquet de cigarettes par jour. ☐

d. Les médecins pensent qu'il a fait une crise cardiaque. ☐

e. Voudriez-vous m'expliquer cela plus lentement? ☐

f. Calmez-vous et attendez quelques minutes avant de partir. ☐

g. Est-ce que vous habitiez en ville ou en banlieue? ☐

h. Mon père faisait beaucoup d'activité physique. ☐

i. Vous aimeriez que quelqu'un vous accompagne? ☐

j. Est-ce que vous preniez plusieurs médicaments? ☐

2. Complétez les phrases qui décrivent des habitudes de vie actuelles et passées. Mettez les verbes au présent ou à l'imparfait, selon le cas.

Ex.: faire de l'exercice tous les jours + passer son temps à regarder la télé

Maintenant, je fais de l'exercice tous les jours.

Avant, je passais mon temps à regarder la télé.

a. travailler à temps partiel + travailler 80 h par semaine

Aujourd'hui, il ....

Au début de sa carrière, il ....

b. être de plus de 80 ans + être d'environ 45 ans

De nos jours, au Québec, l'espérance de vie des femmes ....

En 1900, elle ....

c. boire au moins une bouteille de vin par jour + ne pas boire du tout

Depuis quelques mois, Jean-Luc ....

Avant la mort de sa femme, il ....

d. être souvent déprimée + avoir un excellent moral

Ces jours-ci, tu ....

Avant, tu ....

e. avoir une alimentation équilibrée + faire tout le temps des régimes

Maintenant, vous ....

Il y a quelques années, vous ....

3. Transformez les phrases.

	Présent de l'indicatif	Imparfait
	Je suis présent.	*J'étais présent.*
a.	Elle a un problème.	
b.	Vous allez à votre rendez-vous.	
c.	Tu as un empêchement.	
d.	Ils attendent leur tour.	
e.	On veut vous voir.	
f.	Nous avons le temps.	
g.	Elle est surprise.	
h.	Tu vas chez lui.	
i.	Vous parlez à votre voisin.	
j.	Ils évaluent les possibilités.	
k.	Je travaille trop.	
l.	Nous devons arriver à l'heure.	
m.	J'aime sa simplicité.	
n.	Elles écoutent ses conseils.	
o.	Tu marches tous les jours.	
p.	Vous faites attention.	
q.	Il pense à sa journée.	
r.	On attend de bonnes nouvelles.	
s.	Nous allons à la pharmacie.	

➤ Les verbes *boire, courir, manger* et *prendre* à l'imparfait

Mémo, p. 74

1. Cochez la bonne réponse.

a. Je (☐ *prendais* ☐ *prenais*) toujours des vacances en février.

b. Les clients assis à cette table (☐ *buvaient* ☐ *boivaient*) seulement du champagne.

c. Quand il était plus jeune, il (☐ *courait* ☐ *couriait*) 10 km par jour.

d. Est-ce que tu (☐ *mangeais* ☐ *mangeait*) de la viande, avant?

e. Avant, elles ne (☐ *prendaient* ☐ *prenaient*) jamais le temps de se reposer.

f. On (☐ *comprenait* ☐ *comprendait*) très bien ce qu'il essayait de nous expliquer.

g. Est-ce que vous (☐ *buviez* ☐ *boiviez*) de l'alcool?

2. Complétez les phrases en conjuguant les verbes de l'encadré à l'imparfait.

~~apprendre~~ • comprendre • faire • nager • ranger • boire • courir • manger • prendre • savoir

Ex.: Quand vous **appreniez** une mauvaise nouvelle, vous pleuriez pendant des jours.

a. Elle .... au moins trois cafés en se levant.

b. Pour se relaxer, elle .... de grandes respirations.

c. Les enfants .... dans le lac.

d. Malgré toutes les explications, les gens ne .... pas cette décision.

e. On .... des fruits et des légumes de notre jardin.

f. Avant, je .... tous les numéros de téléphone de mes amis par cœur.

g. Est-ce que tu .... du sport quand tu étais jeune?

h. Quand elles étaient petites, les filles .... toujours leurs jouets dans cette armoire à la fin de la journée.

i. Est-ce que tu .... régulièrement l'année dernière?

ÉPISODE 1 On se retrousse les manches !

INTÉGREZ LE VOCABULAIRE

➤ La météo

1. Complétez les phrases en encerclant la bonne réponse.

a. On annonce 40 % de *(probiotique/probabilité)* d'averses vendredi soir.

b. Cette nuit, il y a un avertissement de gel *(terrestre/au sol).*

c. Samedi, il y aura un *(front chaud/vague tropicale)* et les températures seront à la hausse.

d. Jeudi, les températures seront sous les normales *(saisonnières/sapinières).*

e. Il y a risque d'orages accompagnés de vents *(colériques/violents).*

f. Il y a un avertissement de *(blogue/smog)* important pour les prochains jours.

g. Une zone de *(basse pression/faible tension)* entrainera de fortes pluies.

h. Il pourrait y avoir de la pluie *(verglaçante/glacée)* dans certaines régions.

i. Dans quelques régions du Québec, il y aura de la pluie *(passagère/planétaire).*

j. Dans la région de Montréal, il y a un avertissement de chaleur *(accablante/occupante).*

2. Remplacez les mots ou expressions en gras par un synonyme de l'encadré.

chuter • grimper • perturber • s'abattre • se maintenir

a. D'importantes quantités de neige vont **tomber soudainement** sur le Québec. ....

b. Le beau temps va **continuer** pendant toute la fin de semaine. ....

c. Dans la nuit de mardi, les températures vont **baisser de façon importante**. ....

d. Le blizzard va **affecter** les conditions de la route pendant quelques heures encore.
....

e. Les températures vont **augmenter considérablement** et atteindre 35 degrés. ....

3. Reliez les définitions aux expressions.

Faire la pluie et le beau temps •	• Éprouver un sentiment d'amour violent, soudain
Avoir le vent dans les voiles •	• Avoir de l'expérience, être averti(e)
Avoir un coup de foudre •	• Faire naitre un malaise, une gêne
Jeter un froid •	• Être bien parti(e), aller vers le succès
Ne pas être né(e) de la dernière pluie •	• Avoir beaucoup de pouvoir, décider de tout

➤ Les invitations à participer à un évènement

1. Cochez les phrases qui servent à inviter quelqu'un.

a. Tu as tenté de venir à la maison? ☐
b. Viens donc faire un tour! ☐
c. Votre présence serait appréciée. ☐
d. Vous nous avez beaucoup manqué! ☐
e. Ça te tente-tu de venir? ☐
f. Vous allez y aller ensemble? ☐
g. Ça nous ferait plaisir que tu sois là! ☐
h. Tu n'as pas pu être présent. ☐
i. Viens donc! ☐
j. Je vous donne mes coordonnées. ☐

➤ Les réponses à une invitation

1. a. Indiquez si la personne accepte ou refuse l'invitation.

		Acceptation	Refus
a.	Je serai là avec plaisir!		
b.	Ça sera pour une autre fois.		
c.	Nous confirmons notre présence.		
d.	Ça ne sera pas possible.		
e.	Je serai heureuse d'être parmi vous.		
f.	J'ai hâte d'y être!		
g.	Il va falloir remettre ça.		
h.	Nous ne sommes pas disponibles.		
i.	Ce n'est que partie remise!		
j.	On a déjà quelque chose de prévu ce jour-là.		

b. Reprenez les phrases qui expriment un refus et ajoutez un mot ou une expression qui sert à atténuer.

Ex.: (phrase b) *Malheureusement, ça sera pour une autre fois.*

- ....
- ....
- ....
- ....
- ....

MAITRISEZ LA GRAMMAIRE

➤ Le futur simple Mémo, p. 86

1. Cochez les phrases qui sont conjuguées au futur simple.

a. Nous vous attendrons à l'entrée. ☐
b. Je vais vous demander de téléphoner à Lise. ☐
c. Les participants attendent en ligne. ☐
d. Tu t'occuperas de répondre aux courriels. ☐
e. Attendez les premiers invités. ☐
f. Les bénévoles aideront à la préparation des repas. ☐
g. Vous aimeriez avoir une réponse rapide. ☐
h. Marc t'attendra en face de l'entrée principale. ☐
i. Je voulais vous remercier chaleureusement. ☐
j. Louis aura le temps de vous écouter. ☐

2. Conjuguez les verbes au futur simple.

	Infinitif	Futur simple
a.	manger	je
b.	finir	vous
c.	écouter	on
d.	travailler	ils
e.	inviter	tu
f.	profiter	elle
g.	accepter	nous
h.	s'amuser	il
i.	réserver	elles
j.	vérifier	tu
k.	refuser	on
l.	créer	nous
m.	participer	je
n.	étudier	vous
o.	apporter	ils
p.	s'occuper	elle
q.	demander	tu
r.	observer	elles
s.	amener	j'
t.	gérer	vous

3. Transformez les verbes.

	Futur simple	Infinitif
a.	il fera	
b.	ils boiront	
c.	tu viendras	
d.	on prendra	
e.	elle aura	
f.	nous serons	
g.	tu diras	
h.	vous saurez	
i.	elles voudront	
j.	j'irai	

4. Complétez les phrases en conjuguant les verbes au futur simple.

a. Nous .... *(répondre)* à votre invitation demain.

b. Elle .... *(avoir)* plus de détails à nous donner prochainement.

c. Guylaine .... *(prendre)* toutes les décisions.

d. Je pense que vous .... *(vivre)* une expérience enrichissante.

e. Dans deux heures, tu .... *(être)* sur le bateau.

f. Je vous .... *(chercher)* dans la foule.

g. On .... *(aller)* te rejoindre vers neuf heures.

h. Les invités .... *(entrer)* par ici.

i. Ils .... *(déposer)* l'argent sur cette table.

j. Mes parents et mes amis .... *(faire)* les affiches.

k. Tu .... *(s'occuper)* de la décoration.

l. Michel et Charles .... *(apporter)* le dessert.

m. Louise-Andrée .... *(prendre)* des photos.

n. La journée .... *(se passer)* à merveille!

➤ Le futur simple et le futur proche Mémo, p. 87

1. Indiquez si les phrases sont au futur simple ou au futur proche.

		Futur simple	Futur proche
a.	On va aller vous rejoindre au parc.		
b.	Tu iras acheter les plantes avec Catherine.		
c.	Nous allons vous attendre dans le stationnement.		
d.	Je verrai si je peux finir plus tôt.		
e.	Le vendeur va nous aider à mettre le matériel dans l'auto.		
f.	Mes frères vont certainement vouloir participer.		
g.	Ils vont faire des hotdogs pour tout le monde.		
h.	Nous vous tiendrons au courant des développements.		
i.	J'écrirai au responsable du quartier pour l'inviter.		
j.	Vous me ferez visiter vos endroits préférés.		

2. Transformez les phrases.

	Futur simple	Futur proche
	Il n'attendra pas très longtemps.	Il ne va pas attendre très longtemps.
a.		Je vais être là pour vous accueillir.
b.	Tu diras à Michel de m'appeler.	
c.	Vous aurez le temps de vous préparer.	
d.		On va prendre vos noms en note.
e.		Ma voisine va inviter les gens du quartier.
f.	Je m'occuperai du site internet.	
g.	Elle saura ce qu'il faut faire.	

	Futur simple	Futur proche
h.		Les enfants vont être super contents !
i.	Il faudra être patient.	
j.	Nous ne ferons pas de publicité.	
k.		Ils ne vont pas tarder à arriver.
l.		Vas-tu consulter des professionnels ?
m.	On n'aura pas besoin de sa voiture.	
n.	Ils se feront de nouveaux amis.	
o.		Tu ne vas pas arriver à sept heures.
p.	Je surveillerai les plus jeunes.	
q.	Tu n'entendras pas la sonnette.	

3. Lisez les activités planifiées par Pascal, et par Judith et Geneviève. Dites ce qu'ils feront et ce qu'ils ne feront pas. Utilisez le futur proche pour les affirmations et le futur simple pour les négations.

PROJETS DE PASCAL

- ✓ Escalader une montagne pour une cause humanitaire
- ✓ Trouver des commanditaires
- ✗ Diffuser l'expédition en direct sur internet
- ✗ Déterminer les dates des conférences

PROJETS DE JUDITH ET GENEVIÈVE

- ✓ Organiser une collecte de vêtements pour les femmes victimes de violence
- ✗ Planifier une activité de sensibilisation
- ✗ Vendre des biscuits pour cette cause
- ✓ Inviter leurs amis à un souper-bénéfice

✓ : activité à réaliser ✗ : activité abandonnée

11 PRINTEMPS

➤ Les pronoms possessifs Mémo, p. 89

1. Cochez les phrases qui contiennent un pronom possessif.

a. Votre projet est risqué, mais vous atteindrez votre but. ☐
b. Tes idées sont réalistes, les siennes sont irréalisables. ☐
c. Avez-vous laissé les vôtres à la réceptionniste? ☐
d. Sa voiture fonctionne à l'électricité seulement. ☐
e. Est-ce que la tienne est stationnée dans la cour? ☐
f. As-tu ta vignette de stationnement? ☐
g. Les activités qu'ils proposent conviennent à mes enfants. ☐
h. Il a donné sa réponse, je te ferai parvenir la mienne demain. ☐
i. S'ils viennent, vont-ils apporter les leurs? ☐
j. Leurs convictions sont plus fortes que tout. ☐

2. Associez les phrases de l'encadré de droite à celles de l'encadré de gauche.

Phrases avec déterminants possessifs	Phrases avec pronoms possessifs
☐ a. **Vos idées** connaissent beaucoup de succès.	1. **Les miennes** sont prêtes depuis deux jours.
☐ b. J'ai terminé de préparer **mon discours**. Toi, où en es-tu?	2. **La sienne** ne pourra pas, car elle n'habite pas dans la région.
☐ c. **Notre gérante** fera toutes les vérifications nécessaires.	3. **La nôtre** nous demande de valider son travail.
☐ d. Ta mère sera là; et **celle de ton conjoint?**	4. J'ai rédigé **le mien** et je l'ai fait lire par ma collègue.
☐ e. Leurs chiens peuvent se promener librement dans le parc. Et **ceux de vos voisins?**	5. **Les leurs** doivent être tenus en laisse.
☐ f. **Mes invitations** sont prêtes depuis une semaine.	6. **Le nôtre**, nous l'améliorons en ajoutant de l'art mural.
☐ g. Nous embellissons **notre quartier** en plantant des fleurs et des arbres.	7. Merci! **Les vôtres** sont toujours très drôles et originales.

3. Complétez les phrases en encerclant le bon pronom possessif.

a. — Tu as passé de belles vacances?
— Oui, je me suis bien amusée. Et toi, comment ont été *(la tienne/les tiennes)*?

b. — Le chien de ma voisine est tranquille. Et celui de tes voisins?
— J'ai un peu moins de chance: *(le leur/les leurs)* passe ses journées à japper.

c. — Mes enfants sont partis de la maison depuis longtemps.
— *(Le nôtre/La nôtre/Les nôtres)* ont déménagé en juillet.

d. — Mon échelle n'est pas assez grande pour que je puisse atteindre cette branche.
— Prends *(le mien/la mienne)*, je pense qu'elle est plus grande.

e. — Ma petite dernière ne dort pas encore très bien. Et la fille de votre fils?
— Je pense que *(le sien/la sienne/les siennes)* se réveille souvent aussi.

f. — L'horaire de travail de son conjoint change chaque semaine. C'est la même chose pour toi?
— Non, *(la mienne/le mien/les miennes/les miens)* change chaque mois.

g. — Nos voisins du dessus sont tellement bruyants qu'on entend tout ce qu'ils font.
— C'est plate! *(Le nôtre/La nôtre/Les nôtres)*, on ne les entend pas du tout.

h. — Ma voiture a refusé de démarrer quelques fois cet hiver. Et celle de vos parents?
— Ils n'ont pas eu de problème avec *(le leur/la leur/les leurs)*.

i. — J'ai reçu mon compte ce matin. Et vous?
— Non, je n'ai pas encore reçu *(la mienne/le mien/les miennes/les miens)*.

j. — Nos parents vont venir nous visiter pendant la longue fin de semaine.
— Vous êtes chanceux! *(La mienne/Le mien/Les miens/Les miennes)* habitent trop loin pour venir quelques jours seulement.

4. Répondez aux questions en utilisant un pronom possessif.

Ex.: Son père travaille à Québec. Et celui de ta femme? → Le sien travaille à Ottawa.

a. Toute ma famille habite en Europe. Et toi?

b. Le mari de ma sœur est biologiste. Et celui de ta sœur?

c. La plupart de nos amis sont francophones. Et vous?

d. Vous disiez qu'au chalet, votre porte est verrouillée en tout temps. Et celle de vos voisins?

e. Leur fête de quartier a lieu en aout. Et nous?

ÉPISODE 12 Oui, allo !

INTÉGREZ LE VOCABULAIRE

➤ Les conversations au téléphone

1. Complétez les phrases à l'aide des mots de l'encadré.

Allo • boite vocale • message • rappeler • sonnerie • appeler
composé • raccrocher • répertoire • texto

a. Excuse-moi, je suis avec quelqu'un. Est-ce que je peux te .... dans 15 minutes ?

b. Il y a un problème avec la .... de mon téléphone. Je ne l'entends jamais.

c. Notre secrétaire va vous .... pour fixer un rendez-vous.

d. Si vous me laissez un ...., je vais vous rappeler le jour même.

e. .... ! Comment ça va ?

f. Pourrais-tu m'envoyer un .... avec toutes les informations ?

g. Donnez-moi votre numéro, je vais l'enregistrer dans mon .... téléphonique.

h. Si je ne réponds pas, peux-tu laisser un message sur ma .... ?

i. Je vais devoir .... parce que j'ai une réunion dans deux minutes.

j. Je pense que vous avez .... le mauvais numéro. Il n'y a pas de Carole ici.

2. Qui parle ? Écrivez *T* s'il s'agit de la personne qui téléphone, *R* s'il s'agit de la personne qui répond et *2* si la phrase peut être dite par les deux personnes.

a. À qui vous souhaitez parler ? ....

b. Vous êtes madame… ? ....

c. Est-ce que Lucie est là ? ....

d. Salut ! ....

e. Oui, c'est moi. ....

f. Bonjour, ici Jade Leclair. ....

g. Merci, au revoir. ....

h. Je pourrais parler à Yann ? ....

i. Oui, bonsoir ? ....

j. Je voudrais parler à un adulte de la maison. ....

3. Cochez les phrases qui signifient que la personne s'est trompée de numéro.

a. C'est une blague! ☐

b. Ce n'est pas bon. ☐

c. Mauvais numéro! ☐

d. Veuillez patienter quelques instants, s'il vous plait. ☐

e. Bye, à tout à l'heure. ☐

f. Vous faites erreur. ☐

g. Vous vous êtes trompé de numéro. ☐

h. Je ne connais pas de Marie. ☐

i. Désolée, il n'y a pas de Gabriel ici. ☐

j. Karine n'habite pas ici. ☐

4. Numérotez les phrases (1, 2, 3...) pour replacer les dialogues dans le bon ordre.

a.

☐ Ne quittez pas, je lui transfère votre appel.
☐ Bonjour, pourrais-je parler à Émilie Trudeau, s'il vous plait?
☐ Anne Gauthier.
☐ Oui, bonjour?
☐ Merci!
☐ Oui, madame, qui dois-je annoncer?

b.

☐ Oui, allo?
☐ Oui, super bien. Je t'appelle pour vous inviter à souper chez nous samedi, Sabrina et toi, si vous être libres.
☐ Tchao!
☐ Parfait! On se reparle plus tard!
☐ Salut, Manuel, ça va?
☐ Ah, salut, Guillaume! Ça va bien, et toi?
☐ Samedi? Je pense qu'on n'a rien... Je vais en parler à ma douce et je te rappelle?

c.

☐ Il n'y a pas de problème.
☐ Je ne suis pas chez Charles Bérubé?
☐ Allo?
☐ Non, désolé.
☐ Bonjour, est-ce que je pourrais parler à Charles, s'il vous plait?
☐ Je suis désolé, vous vous trompez de numéro.
☐ Ah, excusez-moi, monsieur.

➤ La prise de renseignements et de rendez-vous par téléphone

1. Indiquez si la personne prend un rendez-vous, si elle l'annule ou si elle le reporte.

		Prise de rendez-vous	Annulation de rendez-vous	Report de rendez-vous
a.	Je pourrais avoir une place cette semaine?			
b.	J'aimerais avoir un rendez-vous.			
c.	Je vous appellerai pour en prendre un autre.			
d.	Je vais le déplacer lundi prochain.			
e.	Je vais le remettre dans deux semaines.			
f.	Je ne pourrai pas être présent à mon rendez-vous.			
g.	Est-ce que je pourrais le décaler d'un mois?			
h.	J'ai un empêchement, je ne pourrai pas être là.			
i.	Je voudrais la rencontrer demain.			
j.	On pourrait l'inscrire à l'horaire de la semaine prochaine, plutôt?			

2. Faites un dialogue téléphonique à partir de chaque situation.

a.

Nom:
Valérie Laplante

Raison de l'appel:
reporter le rendez-vous du 19 mai, 10 h, à la semaine suivante

b.

Nom:
Mini-mini

Raison de l'appel:
annuler le rendez-vous de vaccination prévu le 10 juin

MAITRISEZ LA GRAMMAIRE

➤ Le conditionnel de politesse Mémo, p. 92

1. Transformez les phrases au conditionnel de politesse.

Ex. : Je veux le rencontrer le plus tôt possible. → *Je voudrais le rencontrer le plus tôt possible.*

a. Vous souhaitez reporter votre rendez-vous.

b. Pouvez-vous me dire quand il sera présent?

c. Je souhaite connaitre ses disponibilités.

d. Vous voulez lui parler immédiatement.

e. Peux-tu participer à la réunion?

f. Je veux savoir s'il est libre.

g. Peuvent-ils nous rencontrer bientôt?

h. Il veut avoir une réponse par courriel.

i. Est-ce que tu peux me laisser tes coordonnées?

j. Voulez-vous lui demander de me rappeler?

2. Écrivez des phrases au conditionnel de politesse à partir des informations données. Utilisez différentes structures de phrases.

Ex. : avoir un rendez-vous lundi prochain
Est-ce que je pourrais avoir un rendez-vous lundi prochain?

a. savoir à partir de quand elle est libre

....

b. me rappeler demain

....

c. obtenir des informations sur les cours offerts

....

d. reporter notre rencontre plus tard dans la journée

....

e. informer Mathilde que je vais être en retard

....

➤ Trouver le sens des mots grâce aux préfixes

Mémo, p. 91

1. Indiquez si les préfixes des verbes en gras expriment l'idée de répétition ou de contraire.

		Répétition	Contraire
a.	Il vous demande de le **rappeler** avant demain.		
b.	Pouvez-vous **défaire** ce gros nœud ?		
c.	Je vais **réécouter** son message dans mon bureau.		
d.	Nous allons **décommander** le buffet.		
e.	Elle a **ramené** son enfant chez le médecin.		
f.	N'oublie pas de **remettre** ton téléphone dans ton sac.		
g.	Nous allons **dégonfler** le matelas avant notre départ.		
h.	Ce jeune homme m'aide à **démêler** tous les fils.		

2. Cochez la signification du préfixe de chacun des groupes de mots.

a.	b.	c.
antibactérien **anti**dépresseur **anti**dérapant **anti**missile	**bi**cyclette **bi**lingue **bi**mensuel **bi**pède	**bio**diversité **bio**graphie **bio**logie **bio**sphère
☐ avec ☐ ensemble ☐ contre	☐ un ☐ deux ☐ petit	☐ deux ☐ naturel ☐ avant

d.	e.	f.
cohabiter **col**laborer **com**muniquer **com**ploter	**in**certain **il**légal **ir**responsable **im**probable	**mal**adresse **mal**chance **mal**heureuse **mal**honnête
☐ seul ☐ ensemble ☐ avant	☐ le contraire de ☐ la même chose ☐ avant	☐ mal ☐ correct ☐ erreur

g.	h.	i.
parachute **para**pluie **para**sol **para**tonnerre	**pré**histoire **pré**maternelle **pré**natal **pré**vision	**uni**cycle **uni**forme **uni**jambiste **uni**lingue
☐ vivant ☐ qui protège ☐ avant	☐ avant ☐ après ☐ difficile	☐ constant ☐ seul ☐ un

➤ Les pronoms *lui* et *leur* Mémo, p. 95

1. Faites des phrases à partir des éléments donnés. Utilisez les pronoms *lui* ou *leur*.

Ex. : a. Je dois lui dire d'apporter son ordinateur.

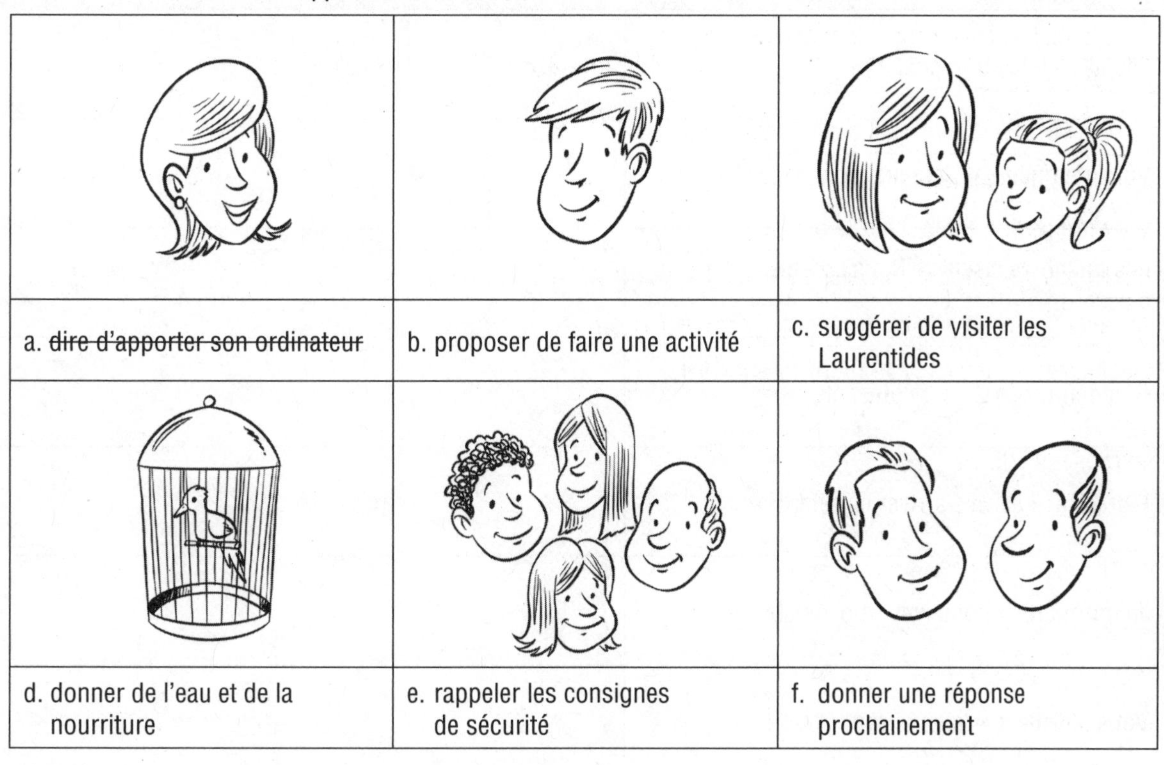

a. ~~dire d'apporter son ordinateur~~	b. proposer de faire une activité	c. suggérer de visiter les Laurentides
d. donner de l'eau et de la nourriture	e. rappeler les consignes de sécurité	f. donner une réponse prochainement

2. Cochez ce que le pronom remplace dans la phrase.

a. Nous **leur** avons proposé d'utiliser notre auto.
☐ à notre ami ☐ à nos amis

b. Est-ce que tu vas **leur** suggérer une autre date?
☐ pour le rendez-vous ☐ aux clients

c. Tes parents disent que tu **lui** as laissé un message hier.
☐ à ton frère ☐ à tes parents

d. Dites-**lui** que j'attends sa réponse.
☐ au sujet de la transaction ☐ à l'investisseur

e. Les patrons veulent absolument **lui** parler.
☐ à André ☐ à André et Marc

f. Ont-ils préparé ce que nous **leur** avons demandé?
☐ les professeurs ☐ aux étudiants

g. Explique-**lui** la raison de ton appel.
☐ à ton amie ☐ à tes amies

h. **Leur** écrire un message est la bonne chose à faire.
☐ à la directrice ☐ aux directrices

➤ Le discours indirect au présent Mémo, p. 96

1. Transformez les phrases.

	Discours direct	Discours indirect
	Elle dit : « Il fait trop chaud ! »	*Elle dit qu'il fait trop chaud.*
a.	Vous répondez : « C'est une bonne idée ! »	
b.	Les membres disent : « Nous sommes d'accord. »	
c.	On confirme : « On sera présents. »	
d.	Il précise : « Je vais arriver en retard. »	
e.	Je murmure : « Vous êtes trop aimable. »	
f.	Vous affirmez : « Je serai avec Louis ! »	
g.	Tu ajoutes : « J'apporterai le dessert. »	
h.	Elle propose : « Reportons la réunion. »	
i.	Ils assurent : « On va prévenir Jean. »	
j.	Chantal annonce : « Je vais réserver les billets. »	
k.	On demande : « Passez par l'arrière. »	
l.	Elle rappelle à son fils : « Sois poli ! »	
m.	Vous demandez à votre patron : « Augmentez mon salaire, s'il vous plait. »	
n.	Je déclare : « Toutes les places sont réservées. »	

➤ De la question directe à la question indirecte Mémo, p. 97

1. Transformez les questions directes en questions indirectes. Utilisez les verbes ***demander***, ***vouloir savoir*** ou ***se demander***.

a.

Marie demande si tu as de l'argent comptant.

b.

c.

d.

e.

f.

g.

h.

ÉPISODE 13 Le Québec à la carte

INTÉGREZ LE VOCABULAIRE

➤ Les régions du Québec

1. Complétez les noms de régions touristiques du Québec.

a.	G ___ ___ ___ é ___ i e	h.	___ u ___ ___ ___ c
b.	___ a ___ a ___	i.	L ___ n ___ ___ d i ___ r e
c.	___ a u ___ e ___ ___ ___ ___ e s	j.	___ a n ___ o ___ s - de - l' ___ s t
d.	M ___ ___ r ___ c ___ e	k.	___ o ___ ___ r ___ ___ l
e.	___ a ___ e - ___ a ___ e s	l.	M ___ ___ t é ___ é ___ ___ e
f.	___ h ___ r ___ ___ v ___ ___ x	m.	___ u ___ a ___ u ___ i ___
g.	N ___ ___ a ___ ___ k	n.	___ a s - ___ a i ___ t - ___ a u ___ e ___ t

2. Répondez aux questions. Consultez les pages 99 et 102 de la méthode pour vous aider.

a. Parmi les régions suivantes, laquelle est la plus au nord?
☐ Laval ☐ la Montérégie ☐ le Nunavik

b. Parmi les régions suivantes, laquelle est la plus au sud?
☐ le Bas-Saint-Laurent ☐ l'Outaouais ☐ les Cantons-de-l'Est

c. Quelle région est située près de l'Ontario?
☐ le Saguenay–Lac-Saint-Jean ☐ l'Abitibi-Témiscamingue ☐ Duplessis

d. Quelle région n'est pas une ile?
☐ Montréal ☐ les Îles-de-la-Madeleine ☐ la Gaspésie

e. Quelle région est située en bordure du fleuve Saint-Laurent?
☐ les Laurentides ☐ Chaudière-Appalaches ☐ la Baie-James

f. Quelle région est voisine de la Montérégie?
☐ Montréal ☐ Manicouagan ☐ la Mauricie

g. Quelle région est voisine de Québec?
☐ le Saguenay–Lac-Saint-Jean ☐ Charlevoix ☐ la Baie-James

➤ Le courriel de réponse automatique

1. Numérotez les segments des messages (1, 2, 3...) pour replacer les courriels de réponse automatique dans le bon ordre.

a.
- ☐ votre dossier d'employé(e),
- ☐ Bonjour,
- ☐ je serai absente à partir du 15 janvier, et ce, jusqu'au 15 aout.
- ☐ Pour toute question relative à
- ☐ Veuillez noter que
- ☐ vous pouvez contacter Anne-Marie Chartrand au poste 8376.
- ☐ Merci et bonne journée!

b.
- ☐ Veuillez prendre note que je serai à l'extérieur du bureau
- ☐ mais en cas d'urgence, vous pouvez m'envoyer un courriel.
- ☐ toute la journée le vendredi 21 mai,
- ☐ Merci et à bientôt.
- ☐ Chers clients,
- ☐ Je serai de retour le lundi 24 mai et en mesure de répondre à vos appels.

➤ Le bulletin de circulation

1. Complétez les phrases à l'aide des mots et groupes de mots de l'encadré.

bouchon • circulation est fluide • l'heure de pointe • nid-de-poule • ralentissement important

a. Tout se passe très bien aujourd'hui pour les automobilistes sur l'ensemble du réseau routier, la ....

b. Cet après-midi, les automobilistes vont devoir s'armer de patience, car .... sera difficile.

c. Les travaux de réparation de la chaussée sur l'autoroute 15 occasionnent un .... en direction nord.

d. Attention aux automobilistes qui circulent sur la rue Notre-Dame, il y a un énorme .... à l'intersection du boulevard Saint-Laurent.

e. Sur l'autoroute 10, un .... s'étend sur plusieurs kilomètres à la suite d'un carambolage impliquant une dizaine de voitures.

MAITRISEZ LA GRAMMAIRE

➤ Le pronom y Mémo, p. 103

1. Répondez aux questions en utilisant le pronom *y* et les informations données entre parenthèses.

Ex. : Il est allé au Musée huron-wendat? (non)
→ *Non, il n'y est pas allé.*

a. Elle est déjà allée à Charlevoix?
(oui) ....

b. Pense-t-il aller à la Baie-James lors de votre prochain voyage?
(non) ....

c. Qu'est-ce que vous avez mangé en Gaspésie?
(le meilleur homard de ma vie) ....

d. Qu'est-ce que vous avez vu en Abitibi?
(des orignaux) ....

e. Quand est-ce qu'ils vont au Nunavik?
(en juin) ....

f. Qu'est-ce qu'on peut voir dans la rivière Saguenay?
(des bélougas) ....

g. Elles veulent retourner dans les Laurentides?
(oui) ....

2. Répondez aux questions en utilisant le pronom *y*. Trouvez la réponse dans l'encadré.

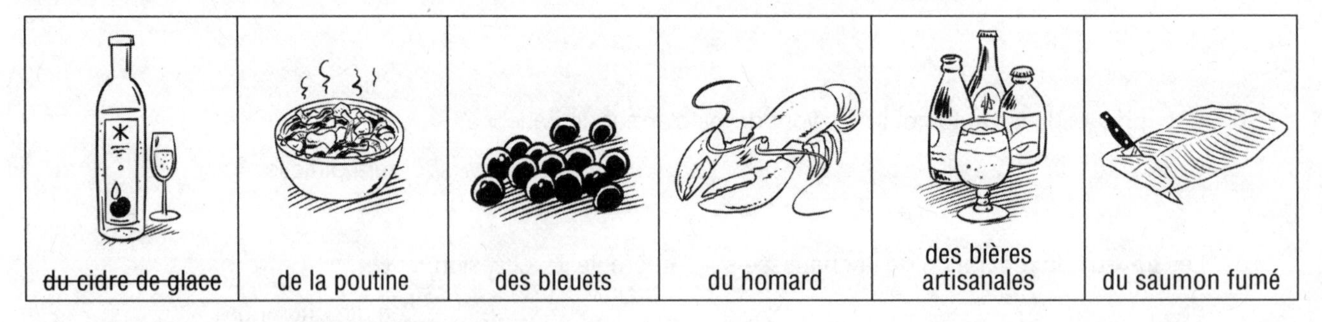

Ex. : Qu'est-ce qu'on déguste dans un verger?
→ *On y déguste du cidre de glace.*

a. Qu'est-ce qu'on prépare dans un fumoir?

b. Quel crustacé mange-t-on aux Îles-de-la-Madeleine?

c. Qu'est-ce qu'on boit dans une microbrasserie?

d. Quel petit fruit trouve-t-on en grande quantité au Saguenay–Lac-Saint-Jean?

e. Qu'est-ce qu'on mange dans un casse-croute?

➤ La place du pronom *y* Mémo, p. 103

1. **Réécrivez les phrases en remplaçant les verbes en gras par les verbes entre parenthèses. Attention à la place du pronom *y*.**

   Ex.: J'y **vais** deux fois par semaine. (vais aller)
   → *Je vais y aller deux fois par semaine.*

   a. Je pense qu'ils y **restent** pendant deux semaines.

   (restaient) ....

   b. Anne-Sophie y **retournera** très bientôt.

   (va retourner) ....

   c. Est-ce que tu **vas** y **aller** seule ou avec un groupe?

   (es allée) ....

   d. Les plus habitués y **séjournaient** plusieurs semaines.

   (vont séjourner) ....

   e. Tout le monde espère qu'ils **vont** y **arriver** sans trop de difficulté.

   (arriveront) ....

   f. Maude et sa colocataire y **achètent** toujours leurs fruits et légumes.

   (veulent acheter) ....

   g. Heureusement, vous **devez** y **demeurer** quelques jours.

   (êtes demeurées) ....

2. **Répondez aux questions en utilisant le pronom *y*.**

   a. Est-ce que vous avez dormi à l'Hôtel de Glace?

   b. Aimerait-il retourner à la Baie-James?

   c. À quel moment de l'année va-t-elle en Mauricie?

   d. Est-ce qu'ils ont vu des animaux sauvages en Abitibi?

   e. Il apprend une langue inuite au Nunavik?

ÉPISODE 14 Tu me manques :-(

INTÉGREZ LE VOCABULAIRE

➤ Les surnoms affectueux Mémo, p. 107

1. Parmi les surnoms suivants, lesquels utilise-t-on généralement entre amoureux ou entre amis, ou encore pour s'adresser à un enfant ? Cochez toutes les bonnes réponses.

- ☐ mon cher
- ☐ ma belle
- ☐ ma chouette
- ☐ ma petite sandale
- ☐ mon chéri
- ☐ ma petite puce
- ☐ mon ange
- ☐ ma limace
- ☐ mon petit loup
- ☐ mon beau marteau
- ☐ ma belle toupie
- ☐ ma petite recette
- ☐ mon beau
- ☐ mon canard en sucre

➤ Les salutations formelles et informelles Mémo, p. 108

1. Indiquez si les salutations sont formelles ou informelles.

	Salutations	Situation formelle	Situation informelle
a.	Tchao !		
b.	Tourlou !		
c.	Bye !		
d.	Cordialement, (…)		
e.	Amitiés, (…)		
f.	Sincères salutations, (…)		
g.	À plus !		

➤ Les expressions familières

1. Utilisez une expression de l'encadré pour réagir aux phrases.

Mets-en ! • Ah ! C'est plate ! • Je suis tellement tanné ! • C'est pas pire ! • Pas pantoute !

a. Elle est bonne, cette nouvelle sorte de crème glacée là, hein ? ....

b. Êtes-vous en couple, tous les deux ? ....

c. Tu as encore des problèmes avec ta voiture ? Pauvre toi ! ....

d. Je suis déçue… Je dois travailler samedi soir. Je ne pourrai pas aller à ton party. ....

e. Finalement, mon patron va me donner une augmentation de 5 %. ....

MAITRISEZ LA GRAMMAIRE

➤ Utiliser le passé composé et l'imparfait Mémo, p. 110

1. **Indiquez si le verbe en gras est au passé composé ou à l'imparfait, puis écrivez-le à l'infinitif.**

		Passé composé	Imparfait	Verbe à l'infinitif
	Elle **attendait** son appel avec beaucoup d'impatience.		✓	attendre
a.	Votre présence m'**a fait** beaucoup de bien.			
b.	On **espérait** le voir cette semaine.			
c.	Est-ce que tu **as eu** des blessures ?			
d.	Vous **avez reçu** un message de sa part.			
e.	Les voyageurs **rageaient** à cause du retard.			
f.	Nous **avons oublié** nos bagages là-bas.			
g.	Elle **est arrivée** à la dernière minute.			
h.	On vous **a cherché** pendant une heure.			
i.	L'orage **menaçait** de s'abattre sur nous.			
j.	Je **m'ennuyais** de mes proches.			
k.	Il **sirotait** une limonade à l'ombre.			
l.	Ce cycliste expérimenté **a terminé** bien avant nous.			
m.	Sa bière **goutait** le paradis !			
n.	Elles **voulaient** lui rendre un dernier hommage.			
o.	On **a pu** se reposer quelques heures.			
p.	Vous **vous êtes trompés** de chemin.			

2. Soulignez le verbe dans les phrases, puis indiquez à quoi il sert.

		Raconter une action terminée dans le passé	Faire une description	Parler d'une habitude	Exprimer une sensation, un sentiment, une émotion
	Ils ont apporté leur lunch.	✓			
a.	Je portais des souliers de course ce jour-là.				
b.	Il faisait noir.				
c.	Elle allait à la piscine tous les matins.				
d.	Nous avons discuté de ce projet.				
e.	Guillaume était dans notre équipe.				
f.	Tu n'aimais pas l'ambiance.				
g.	Je me sentais nerveuse.				
h.	Vous avez retrouvé votre chat.				
i.	Il était tout trempé.				
j.	J'ai reçu une contravention.				
k.	Ma sœur a gagné deux médailles.				
l.	Ils ont installé une caméra.				
m.	Vous attendiez toujours à côté de la porte.				
n.	Ils étaient très stressés.				
o.	On faisait souvent des soupers avec des amis.				
p.	J'avais une vingtaine d'années.				
q.	Tu cuisinais comme un chef.				

3. a. **Décrivez la scène par des phrases à l'imparfait.**

l'ambiance | les clients | le serveur | un pianiste | les tables

b. Composez des phrases au passé composé pour décrire les actions des personnages.

- ....

  ....

- ....

  ....

- ....

  ....

- ....

  ....

4. a. Complétez les phrases pour décrire la scène. Utilisez des verbes à l'imparfait.

- La maison ....
- Le bébé ....
- La mère du bébé ....
- L'organisateur de la fête ....
- Des invités ....

b. Racontez les actions de Clara et des invités. Utilisez des verbes au passé composé.

5. **a. Complétez les textes à l'aide des verbes de l'encadré. Conjuguez les verbes au passé composé ou à l'imparfait, selon le contexte.**

aller • allumer • boire • commencer • crier • entrer • être • faire • lire • rentrer

Hier, en fin de journée, Josée a fini de travailler, elle a pris l'autobus et elle .... (1) chez elle. Dans la maison, tout était étrangement calme et il .... (2) noir. Elle a déposé ses sacs, elle a fait quelques pas et elle .... (3) les lumières du salon. Au même moment, ses amis, qui l'attendaient dans la cuisine, sont sortis et ils .... (4) : « Surprise ! » Josée .... (5) vraiment surprise, elle ne savait pas quoi dire à ses amis pour les remercier de leur gentillesse.

Quand nous étions dans la vingtaine, mes amis et moi .... (6) tous les vendredis au bar du quartier. Un soir, une dizaine d'années plus tard, nous avons décidé d'y retourner. Quand nous .... (7), l'endroit était exactement comme avant, sauf qu'il n'y avait presque personne. Le serveur .... (8) un livre derrière le comptoir, et le seul client de la place .... (9) tranquillement une bière au bar. Malgré cela, nous nous sommes assis à notre table habituelle et nous .... (10) à nous remémorer des histoires du passé.

b. Indiquez à quoi sert chaque verbe de ces textes.

	Raconter une action terminée dans le passé	Faire une description	Parler d'une habitude	Exprimer une sensation, un sentiment, une émotion
Verbe 1				
Verbe 2				
Verbe 3				
Verbe 4				
Verbe 5				
Verbe 6				
Verbe 7				
Verbe 8				
Verbe 9				
Verbe 10				

➤ Raconter des évènements simultanés au passé Mémo, p. 111

1. Combinez les éléments des deux encadrés pour décrire les évènements simultanés au passé. Utilisez un verbe au passé composé pour décrire l'action ou l'évènement et un verbe à l'imparfait pour décrire la situation de base.

Évènement ou action	Situation de base
• recevoir la visite des policiers	• venter très fort
• ~~arriver au party~~	• rire aux éclats
• jouer au badminton sur la plage	• rouler à bicyclette
• essayer de joindre Paul	• être très calme
• donner des explications importantes	• ~~avoir environ 10 personnes~~
• entendre un coup de feu	• faire une sieste

Ex.: Quand tu es arrivé au party, il y avait environ 10 personnes.

• ....

....

• ....

....

• ....

....

• ....

....

• ....

....

2. Complétez les phrases pour décrire des évènements simultanés au passé. Utilisez le passé composé ou l'imparfait, selon le cas. Les deux temps doivent être présents dans chaque phrase.

Ex.: Quand elle est partie, *ses parents attendaient le plombier.*

a. Il y avait des orages ...

b. Quand Marc-Antoine a accepté, ...

c. Ton chien jappait ...

d. Quand vous êtes tombé, ...

e. Quand tu as compris ce qui se passait, ...

f. Le téléphone sonnait ...

g. Pendant que tu déménageais les boites, ...

h. Les enfants jouaient ...

i. Pendant qu'elle voyageait, ...

j. Pendant qu'on dormait, ...

3. Décrivez les évènements simultanés au passé. Utilisez un verbe au passé composé et un verbe à l'imparfait.

Ex. : Pendant que son bébé dormait, Joël a lavé le plancher.

a.

Quand ....

b.

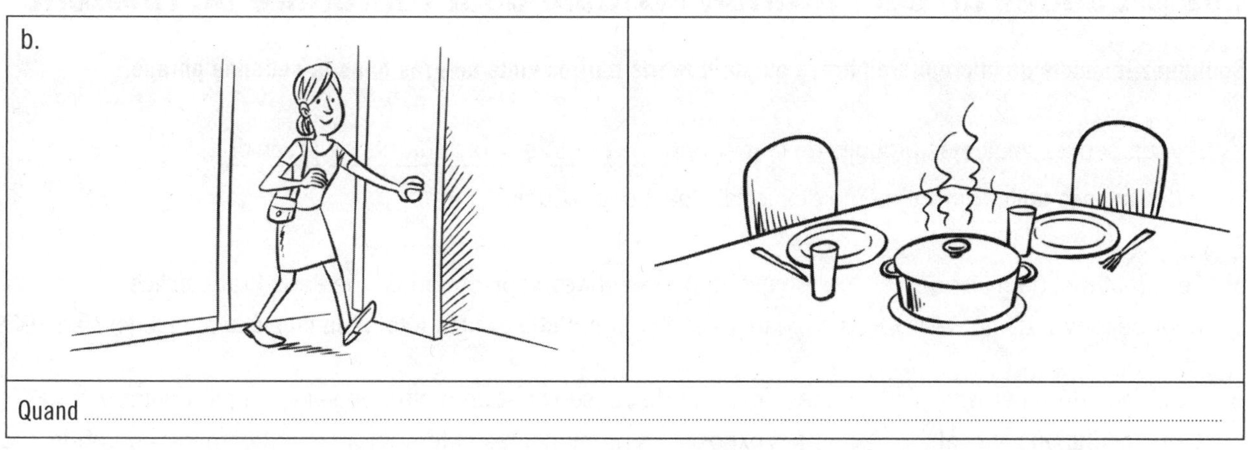

Quand ....

c.

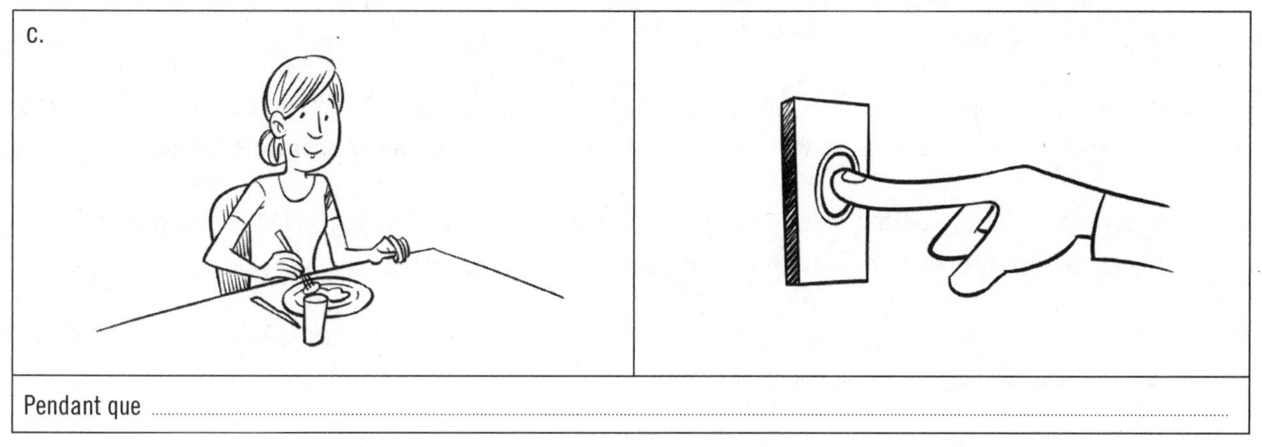

Pendant que ....

INTÉGREZ LE VOCABULAIRE

➤ Les nombres approximatifs

1. **Écrivez les mots qui désignent ces nombres approximatifs.**

   Ex.: Environ 10: *une dizaine*

   a. Environ 12: ....

   b. Environ 20: ....

   c. Environ 30: ....

   d. Environ 40: ....

   e. Environ 50: ....

   f. Environ 60: ....

   g. Environ 100: ....

➤ Les procédés de substitution lexicale pour reprendre un référent

1. **Soulignez les mots de la première phrase qui sont repris par les mots en gras dans la seconde phrase.**

   Ex.: Vous pouvez gouter les produits de la mer dans de nombreux restaurants de la région.
   Ces bonnes tables offrent même des forfaits gastronomiques.

   a. Les amateurs de musique francophone se donnent rendez-vous chaque année aux Francofolies pour découvrir de nouveaux artistes, danser et célébrer. **Cette grande fête de la musique** a vu le jour en 1989.

   b. Le Musée huron-wendat s'est donné le mandat de conserver et de mettre en valeur le patrimoine wendat. **Cette institution nationale**, à travers ses expositions permanentes et temporaires, notamment, contribue à faire connaitre le peuple wendat.

   c. Saviez-vous qu'il est possible d'observer des aurores boréales jusque dans le sud du Québec? Vous devrez toutefois vous éloigner des grandes villes pour pouvoir admirer **ce majestueux spectacle lumineux**.

   d. La Maison symphonique présente des concerts de musique classique depuis 2011. L'acoustique et l'architecture particulières de **la salle** offrent au public une expérience hors du commun.

   e. Le rocher Percé est considéré comme le plus grand symbole de la Gaspésie. Les spécialistes évaluent que **cet ilot rocheux sculpté par le temps et la mer** pourrait disparaitre d'ici 400 à 500 ans.

MAITRISEZ LA GRAMMAIRE

➤ L'accord du participe passé avec l'auxiliaire *être*

Mémo, p. 126

1. Encerclez la bonne réponse.

a. Les dernières participantes *(sont arrivés/sont arrivées)* tout juste avant le départ du groupe.

b. Au moment où elles sortaient leur piquenique, une averse *(est tombé/est tombée).*

c. Au zoo, les chèvres et leurs petits *(sont venus/sont venues)* vers nous à toute vitesse pour avoir un peu de nourriture.

d. Comme les gens étaient un peu à l'étroit, il *(est sorti/est sortie)* sur la terrasse pour regarder les feux d'artifice.

e. À Tadoussac, une baleine et ses deux petits *(sont passés/sont passées)* si près de moi que j'aurais presque pu les toucher!

2. Complétez les phrases en conjuguant le verbe au passé composé.

a. Les plus courageuses .... *(monter)* à bord de la montgolfière.

b. Il .... *(revenir)* seulement pour photographier le coucher de soleil.

c. Julie et Sandra .... *(tomber)* sous le charme de cette région.

d. La responsable du musée accueille les enfants qui .... *(entrer).*

e. Toi, Pierre-Luc, tu .... *(arriver)* avant tout le monde?

f. Des milliers de personnes .... *(venir)* accueillir les cyclistes au fil d'arrivée.

g. Et vous, les filles, après la conférence, est-ce que vous .... *(sortir)* prendre un verre?

h. Ce projet de cinéma en nature .... *(naitre)* de la rencontre d'une passionnée du septième art et d'un amoureux du plein air.

i. Le guide qui accompagne notre groupe .... *(aller)* demander des explications à son patron.

j. Pendant toute la croisière, je .... *(rester)* sur le pont, complètement hypnotisée par le spectacle de la nature.

➤ La formation de l'infinitif passé Mémo, p. 127

1. Utilisez les verbes de l'encadré pour compléter les phrases. Mettez les verbes à l'infinitif passé.

avoir • prendre • dormir • recevoir • entrer • terminer • lire • visiter

a. D'après les renseignements qu'on trouve sur ce site internet, il faut .... ses études pour joindre ce groupe d'explorateurs.

b. Après .... beaucoup de problèmes avec sa voiture, il a décidé de la vendre et de se déplacer à vélo.

c. Vous devez .... tous ces vaccins avant de voyager en Afrique.

d. Après .... comme un bébé pendant quelques jours, je me sens prêt à me lancer dans une nouvelle aventure.

e. Ils sont très heureux d'.. dans ce vieil édifice, car ils y ont découvert un véritable trésor architectural.

f. Je tiens à vous remercier d'.. le temps de nous rencontrer pour répondre à nos questions et nous rassurer.

g. Après .... une dizaine de brochures touristiques sur la province, nous avons enfin déterminé notre itinéraire.

h. Elle m'a dit qu'elle était déçue d'.. ce parc national en été, car elle trouvait qu'il y avait trop de touristes.

2. Transformez les phrases.

	Phrase affirmative avec un verbe à l'infinitif passé	Phrase négative avec un verbe à l'infinitif passé
	Elle est déçue d'avoir passé la soirée avec lui.	*Elle est déçue de ne pas avoir passé la soirée avec lui.*
a.		Il regrette de ne pas avoir visité cette ville.
b.	On a reproché à cette femme d'avoir fait ce voyage en solitaire.	
c.	Tu es contente d'avoir assisté à cet évènement.	
d.		Je suis sincèrement désolé de ne pas avoir téléphoné ce jour-là.

	Phrase affirmative avec un verbe à l'infinitif passé	Phrase négative avec un verbe à l'infinitif passé
e.	Les voyageurs s'en veulent d'avoir fait cette excursion.	
f.	Vous vous félicitez d'être partis avant la finale.	
g.		Ma collègue est heureuse de ne pas avoir fait ce voyage à 40 ans.
h.	Je suis fier de leur avoir dit tout haut ce que je pensais.	

➤ L'attribut Mémo, p. 128

1. Choisissez dans l'encadré l'attribut qui convient pour compléter la phrase.

admiratifs • amical • immense • spectaculaires • tempéré • variées

a. Le climat de Vancouver, comme celui de nombreuses villes côtières, est ....

b. En hiver, les chutes Montmorency sont différentes, mais elles sont tout aussi ....

c. J'ai surtout trouvé que l'accueil des habitants était très ....

d. Les activités proposées sont .... et conviennent tant aux jeunes qu'aux moins jeunes.

e. Le lac est .... , on dirait la mer!

f. Nous étions .... devant toutes les beautés qui s'offraient à nous.

➤ La phrase exclamative Mémo, p. 128

1. Complétez les phrases avec un de ces mots exclamatifs: *quel*, *quelle*, *quels*, *quelles* et *que*.

a. .... paysages extraordinaires!

b. .... cet endroit est paisible!

c. .... vos histoires sont touchantes!

d. .... idée géniale!

e. .... homme admirable!

ÉPISODE 17 On lit !

INTÉGREZ LE VOCABULAIRE

➤ Les expressions pour donner son opinion

1. Cochez les expressions qui permettent de donner son opinion.

J'ai le sentiment que… ☐
D'après moi… ☐
À l'époque… ☐
Selon moi… ☐
En ce qui me concerne… ☐
Je considère que… ☐
Tout d'abord… ☐
Je demande que… ☐
Je trouve que… ☐

À mon avis… ☐
Je cherche… ☐
Je suis d'avis que… ☐
J'attends que… ☐
Pour conclure… ☐
Je crois que… ☐
Je pense que… ☐
Il me semble que… ☐
Habituellement… ☐

2. Indiquez si la phrase sert à exprimer l'accord, le désaccord ou la neutralité.

		Accord	Désaccord	Neutralité
	Certainement pas !		✓	
a.	Je suis pour.			
b.	Ça ne me fait ni chaud ni froid.			
c.	Je partage ton point de vue.			
d.	Mets-en !*			
e.	Je m'en fous !*			
f.	Je m'oppose farouchement à cela !			
g.	Tu as tout à fait raison.			
h.	Ça m'est égal.			
i.	Ça ne me dérange pas.			
j.	Nous sommes sur la même longueur d'onde.			
k.	Je ne suis pas favorable.			
l.	Jamais de la vie !			
m.	Pas pantoute !*			

* Expressions familières réservées aux situations informelles.

3. Réagissez aux idées suivantes en donnant votre opinion.

Ex. : La poutine devrait être interdite !
Je ne suis pas du tout d'accord !

a. Tout le monde devrait parler une seule et même langue.

.

b. Il devrait être interdit de travailler le dimanche.

.

c. Il devrait y avoir plus de voitures colorées.

.

d. Les soins dentaires devraient être gratuits pour tout le monde.

.

e. Tout le monde devrait avoir au moins quatre semaines de vacances par année.

.

f. La neige et le froid ne devraient pas exister !

.

g. Il vaut mieux vivre pauvre et en santé que riche et malade.

.

➤ Pour parler d'un texte lu Mémo, p. 135

1. Replacez les phrases dans le bon ordre.

a. pourrait | que | J'ai pensé | t'intéresser. | ce texte

.

b. à | article, | cet | j'ai | toi. | pensé | En lisant

.

c. J'ai lu | très | l'ai | trouvé | ce texte | je | intéressant. | et

.

d. de vue | différent. | conseille de lire | parce | Je te | qu'il | propose | ce texte | un point

.

e. Cet article | l'autre jour. | on discutait ensemble | de la question | traite | dont

.

17

ÉTÉ

ÉPISODE 18 Et si tu me racontais…

INTÉGREZ LE VOCABULAIRE

➤ Aborder quelqu'un dans un lieu public Mémo, p. 137

1. Dites comment vous aborderiez quelqu'un dans chacun de ces endroits.

2. Associez les phrases aux lieux.

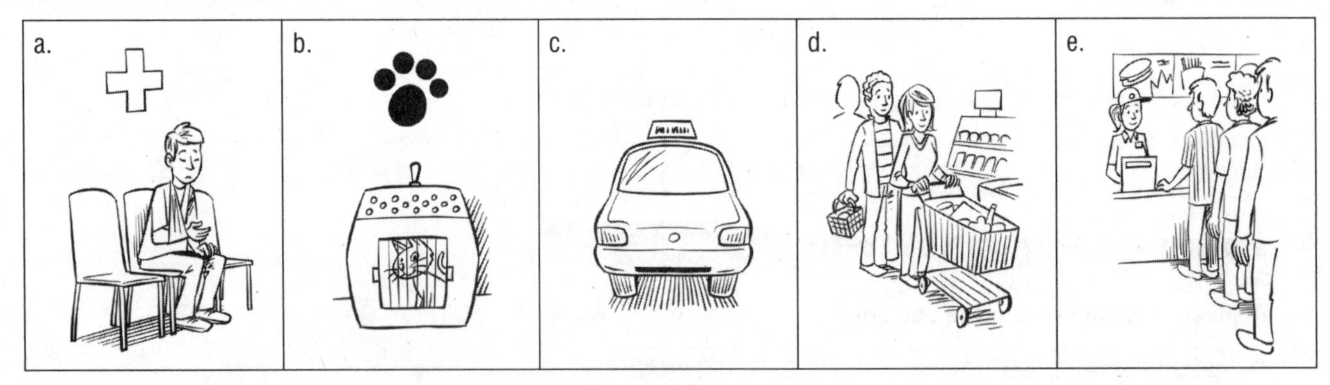

1. Ah, je vous dis qu'il fait froid ce matin… ....
2. C'est votre première fois ici ? Vous ne le regretterez pas ! ....
3. Il a quel âge, votre chat ? ....
4. Attendez-vous depuis longtemps ? ....
5. Allez-y, vous avez seulement quelques articles. ....

3. Replacez les phrases dans le bon ordre.

a. (vous) (un petit service ?) (est-ce que) (Excusez-moi,) (pourrais) (je) (demander)

b. (la caisse ?) (si) (Savez-vous) (c'est) (pour) (la file)

c. (madame,) (debout.) (Prenez) (place,) (ma) (je peux) (rester)

d. (jamais vu) (autant) (ma vie !) (J'ai) (de toute) (de monde)

e. (la chaleur) (jours !) (incroyable,) (C'est) (des derniers)

MAITRISEZ LA GRAMMAIRE

➤ Le plus-que-parfait Mémo, p. 139

1. Cochez les phrases qui contiennent un verbe au plus-que-parfait.

a. Elle aurait tout fait pour réussir. ☐

b. Vous vous êtes installés dans cette région en juillet. ☐

c. On espérait que la réponse serait positive. ☐

d. Tu avais réfléchi longuement avant de prendre ta décision. ☐

e. Vous aviez tout préparé à l'avance. ☐

f. Avant de partir, les voyageurs avaient rempli tous les formulaires. ☐

g. Après avoir cherché longuement, j'ai trouvé. ☐

h. Est-ce que vous accepteriez ces conditions? ☐

i. Les plus expérimentés ont assisté les nouveaux. ☐

j. Les premières années, mon père prenait tous les contrats qu'on lui offrait. ☐

k. Elles s'étaient déjà vues dans une soirée chez des amis. ☐

l. On était venus pour lui parler de notre projet. ☐

m. Avant de les rencontrer, je n'avais jamais éprouvé ce sentiment. ☐

n. Malheureusement, leurs chemins s'étaient séparés. ☐

o. Avant, vous avez occupé plusieurs emplois à temps partiel. ☐

2. Dites quel évènement s'est produit en premier.

Ex. : Lorsqu'elle est déménagée, elle avait trouvé un emploi.
Elle a trouvé un emploi.

a. Sa femme avait accouché quand ils ont immigré ici.

b. Charles avait commencé le cégep quand Alexandra est partie en Allemagne.

c. Vous aviez reçu tous les papiers quand vous avez acheté vos billets.

d. Il a apporté des choses à manger, mais tu avais déjà préparé le repas.

e. Elle avait fait le tour du monde avant de s'établir à Rimouski.

f. J'étais déjà née lorsque mes parents se sont mariés.

g. On avait visité plusieurs maisons avant d'acheter celle-ci.

h. Lorsqu'il a obtenu son emploi, Luc avait fini ses études universitaires.

3. Combinez les deux phrases en une seule. Utilisez le plus-que-parfait et le passé composé.

Ex. : 2012 : Alexandra et son conjoint ont leur fille.
2014 : Alexandra et son conjoint achètent une voiture.
Quand Alexandra et son conjoint ont acheté une voiture, ils avaient déjà eu leur fille.

a. Lundi, 13 h 30 : Louis-Philippe réserve une table au célèbre restaurant Torquet.
Lundi, 14 h : Louis-Philippe parle à sa **blonde** *(petite amie)* pour vérifier ses disponibilités.

....

....

b. Mars : Antoine trouve un emploi dans son domaine à Ottawa.
Juillet : Antoine déménage à Ottawa avec sa famille.

....

....

c. Hiver 2017 : Vincent rencontre Anne-Sophie dans un colloque.
Printemps 2017 : Vincent termine son doctorat en génie mécanique.

....

....

d. 17 h 45 : Johanne rentre à la maison.
18 h : Le mari de Johanne commence à préparer le souper.

....

....

e. 2002 : Nathalie reçoit un diagnostic de son médecin.
2017 : Les chercheurs découvrent un traitement pour soigner la maladie de Nathalie.

....

....

f. 1998 : La famille Brisson achète une maison à Montréal.
2002 : Les prix des maisons augmentent de façon considérable dans la métropole.

....

....

g. Mardi : Amélie accepte l'invitation à souper de Francis.
Jeudi : Philippe invite Amélie au cinéma.

....

....

h. Janvier 2018 : Simon et Brigitte achètent leur billet d'avion pour Bali.
Aout 2018 : Trois violents tremblements de terre secouent la petite ile.

....

....

4. Complétez les phrases en conjuguant le verbe au plus-que-parfait.

a. Est-ce que vous ………………………… *(visiter)* le Québec avant d'y immigrer?

b. Tu ………………………… *(trouver)* un nouvel emploi quand tu as remis ta démission.

c. Avant de s'installer définitivement à Toronto, ma sœur ………………………… *(voyager)* à travers le monde pendant plusieurs années.

d. Il ………………………… *(terminer)* ses travaux quand ses amis sont arrivés.

e. J'………………………… *(avoir)* la chance de vous rencontrer avant de commencer à étudier.

f. Les jeunes amoureux ………………………… *(arriver)* à l'hôtel quand une pluie diluvienne s'est abattue sur la ville.

g. Est-ce que tu ………………………… *(prévoir)* tout ce qui t'est arrivé avant de te lancer dans cette aventure?

h. Elle ………………………… *(apprendre)* le français avant d'arriver ici.

i. Lorsque je suis partie à la retraite, on ………………………… *(former)* mon successeur.

j. Nous ………………………… *(prendre)* le temps de saluer tout le monde avant de rentrer chez nous.

5. Complétez les phrases avec un verbe au plus-que-parfait. Vous pouvez utiliser l'adverbe *déjà* si vous le désirez.

Ex.: Quand il est arrivé, *les invités étaient déjà partis.*

a. Lorsque vous avez donné votre accord, …………………………
………………………… .

b. Le jour où ils sont revenus, …………………………
………………………… .

c. Quand tu as téléphoné, …………………………
………………………… .

d. Lorsqu'elle a reçu la réponse, …………………………
………………………… .

e. Quand il a eu 30 ans, …………………………
………………………… .

f. Lorsqu'elle a dit oui, …………………………
………………………… .

g. Quand vous vous êtes mariés, …………………………
………………………… .

➤ Le passé simple Mémo, p. 141

1. Cochez les phrases qui contiennent un verbe au passé simple.

a. Elle fit ses études secondaires en Colombie-Britannique. ☐

b. Tu admirais le travail de cet artiste. ☐

c. Ils prirent une année de congé pour voyager. ☐

d. On verra s'il vaut la peine de poursuivre dans cette direction. ☐

e. Chaque fois, elle aida ses enfants à déménager. ☐

f. Mes parents eurent à faire des choix difficiles. ☐

g. Tu acceptas, mais avec quelques conditions. ☐

h. Elle demandera à ses voisins et à ses amis de l'aider. ☐

i. Tu diras à ton patron que tu n'es pas disponible ce jour-là. ☐

j. Les médecins virent qu'il était très souffrant. ☐

k. Je suis sûr qu'il comprendra ce que vous faites. ☐

l. On n'hésita pas une seconde à lui prêter la somme demandée. ☐

m. Ma grand-mère fut la seule de sa famille à faire des études. ☐

2. Écrivez l'infinitif de ces verbes au passé simple.

	Passé simple	Infinitif
	il prit	*prendre*
a.	elles virent	
b.	elle sut	
c.	ils vécurent	
d.	il aima	
e.	elles eurent	
f.	ils firent	
g.	il vint	
h.	ils voulurent	
i.	elles furent	
j.	elle alla	
k.	ils dirent	
l.	il partit	
m.	elles durent	

3. Encerclez le verbe correctement écrit au passé simple.

a. Ils *(passent/passèrent)* leur jeunesse en Gaspésie.

b. Elle *(pris/prit)* une année pour voyager et penser à son avenir.

c. Elle *(donnait/donna)* naissance à des jumeaux en 1999.

d. Il *(fit/fait)* des études en histoire de l'art.

e. Elles s'*(installent/installèrent)* dans la région en 2003.

f. Le vieil homme *(vit/vécut)* jusqu'à 98 ans.

g. Elles *(apprennent/apprirent)* la triste nouvelle le soir de Noël.

h. Le couple *(construit/construisit)* sa première maison en huit mois.

i. Ils *(lisent/lurent)* la pièce de théâtre pendant le voyage de retour.

j. Il *(choisis/choisit)* d'aller travailler à l'étranger.

4. Complétez les histoires à l'aide des verbes des encadrés. Conjuguez les verbes au passé simple.

a. se perdre • apercevoir • faire • tomber • se rencontrer

Anne et Jean-Paul .... à l'école secondaire.

Ils étaient dans le même cours de français et .... follement amoureux.

Malheureusement, quelques années plus tard, Anne déménagea et ils ....
.... de vue.

Un jour, alors qu'elle était en voyage d'affaires, Anne .... Jean-Paul au coin d'une rue.

Ce jour-là, ils .... la promesse de ne plus jamais se quitter.

b. apprendre • mourir • être • arriver • vivre

André .... à Montréal de sa naissance jusqu'à ses 30 ans.

Après quelques années passées en Abitibi, il .... à Sept-Îles, sur la Côte-Nord.

Dès son arrivée à Sept-Îles, André .... étonné de la chaleur et de la générosité des gens du coin.

Une fois bien installé, il .... à pêcher et à chasser.

Il .... quelques années plus tard, entouré des siens.

5. Rédigez les biographies à partir des informations fournies. Utilisez des verbes au passé simple.

a. Lhasa de Sela, chanteuse

- ~~Arrive au Québec : 1991~~
- Lance son premier album, *La Llorona* : 1997
- Remporte un prix Juno pour cet album : 1998
- Sort deux autres albums : 2003 et 2008
- Meurt d'un cancer du sein à l'âge de 37 ans : 2010

Lhasa de Sela arriva au Québec en 1991. ....

b. Denis Villeneuve, cinéaste

- Fait des études collégiales et universitaires en sciences et en cinéma
- Gagne *La course Europe-Asie*, organisée par Radio-Canada : 1991
- Signe le scénario du film *Un 32 août sur terre* et le réalise : 1998
- Entame sa carrière cinématographique à Hollywood : 2013
- Remporte deux oscars pour son film *Blade Runner 2049* : 2018

➤ Les emplois du présent Mémo, p. 142

1. Indiquez si le verbe au présent est utilisé pour décrire un évènement passé, présent ou futur.

		Évènement passé	Évènement présent	Évènement futur
	Dans un an, je prends un congé de six mois.			✓
a.	En 2002, il devient ministre de l'Éducation.			
b.	Je me demande quelle école choisir.			
c.	Vous achetez un condo bientôt.			
d.	Elle se marie et elle part en Chine en 2015.			
e.	Ma sœur se cherche un stage en comptabilité.			
f.	Tu prépares l'arrivée de votre bébé.			
g.	On va en Alberta à l'automne prochain.			
h.	Ils planchent sur un gros projet.			

2. Transformez les phrases au présent.

Ex. : Un jeune chercheur a découvert ce médicament en 2010.
*Un jeune chercheur **découvre** ce médicament en 2010.*

a. Enfant, il mangeait de la malbouffe tous les jours.

....

....

b. À partir de l'an prochain, je vais travailler à temps partiel.

....

....

c. Pendant son adolescence, il écoutait de la musique jour et nuit.

....

....

d. Dans quelques semaines, on repeindra notre salon et notre cuisine.

....

....

e. En 1996, elle obtint le prix du meilleur film québécois.

....

....

ÉPISODE 19 Un monde de possibilités

INTÉGREZ LE VOCABULAIRE

➤ Les programmes d'études

1. Associez les programmes d'études aux domaines.

L'humain et la santé	Les sciences et l'environnement	Les arts, la culture et la musique	L'informatique et les affaires	Le génie, la construction et la mécanique
a,				

~~a. DEC en soins infirmiers~~ • b. certificat en muséologie • c. baccalauréat en comptabilité • d. AEC en courtage immobilier • e. maitrise en travail social • f. doctorat en psychologie • g. DEP en pièces automobiles • h. DEC en aéronautique • i. DEC en arts visuels • j. AEC en traitement des eaux • k. baccalauréat en écologie • l. technique en gestion de commerces • m. AEC en développement d'applications mobiles • n. baccalauréat en interprétation de chants classiques • o. DEP en briquetage et maçonnerie • p. DEC en langues modernes • q. DEP en assistance dentaire • r. certificat en analyse chimique • s. AEC en génie industriel • t. technique en bioécologie

2. Complétez les phrases à l'aide des mots de l'encadré.

admission • contingenté • crédits • préalable • stage • temps complet • date limite

a. Le cours de chimie de 5e secondaire est un .... pour être admis au DEC Techniques de soins infirmiers.

b. Les demandes d'.................................... doivent être envoyées au plus tard le 1er mars.

c. Un .... de 5 semaines a lieu à la 3e session d'études.

d. Le programme de doctorat en médecine est fortement ....

e. Ce programme est offert à .... uniquement.

f. Pour obtenir son diplôme, l'étudiante ou l'étudiant doit avoir obtenu 30 ....

g. La .... pour s'inscrire est le 20 septembre.

➤ Les diplômes

1. Écrivez les noms des diplômes.

maitrise • certificat • baccalauréat • diplôme d'études secondaires (DES) • attestation d'études collégiales (AEC) • doctorat • diplôme d'études collégiales (DEC)

a. Il dure 3 ou 4 ans et correspond au 1er cycle universitaire.

....

b. On l'obtient au terme des cinq années d'études qui suivent le primaire.

....

c. Il s'agit d'un programme court de formation technique destiné aux adultes.

....

d. Il est décerné au bout d'un an.

....

e. C'est le grade universitaire le plus élevé.

....

f. Il peut être préuniversitaire ou technique, et est délivré par un cégep.

....

g. Le titre de « maitre » correspond à ce grade universitaire.

....

➤ Les offres d'emploi

1. Barrez l'intrus.

Ex. : poste / fonction / ~~horaire~~ / titre

a. traitement / salaire / versement / rémunération
b. responsabilités / description du poste / disponibilité / nature du travail
c. poste temporaire / permanence / emploi occasionnel
d. exigences / profil recherché / supérieur immédiat
e. expérience / parcours professionnel / renseignement

2. Indiquez à quelle catégorie appartiennent les informations fournies dans l'offre d'emploi.

1. Statut **2.** Entrée en fonction **3.** Profil recherché **4.** Formation requise **5.** Avantages sociaux

CONDO pour la vie !

Promoteur recherche un(e) gestionnaire de chantier

☐ Habiletés relationnelles et intérêt et aptitudes pour le travail d'équipe.
☐ Diplôme universitaire de premier cycle dans un domaine approprié à l'emploi.
☐ Remplacement à temps complet.
☐ Assurances collectives complètes, 4 semaines de vacances.
☐ Début au plus tard le 31 aout.

19 ÉTÉ

MAITRISEZ LA GRAMMAIRE

➤ Le subjonctif présent Mémo, p. 149

1. Reliez les verbes conjugués à leur infinitif.

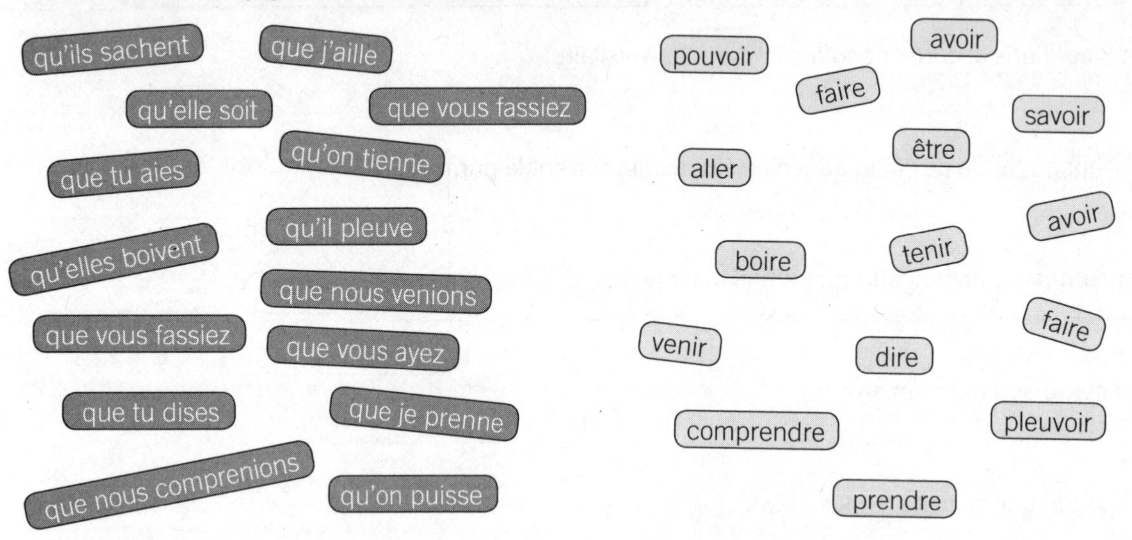

2. Transformez les verbes au subjonctif présent.

	Infinitif	Subjonctif
	finir	que je finisse
a.	travailler	qu'il
b.	avoir	que tu
c.	prendre	que vous
d.	aller	que j'
e.	faire	qu'elles
f.	étudier	qu'on
g.	être	que tu
h.	dire	qu'ils
i.	aller	qu'elle
j.	savoir	que vous
k.	être	que nous
l.	vouloir	qu'il
m.	écrire	que tu
n.	venir	que je
o.	apprendre	que vous
p.	vendre	qu'elles
q.	écouter	qu'on

3. Indiquez l'intention exprimée par les phrases.

		Obligation	Souhait ou conseil	Sentiment ou émotion
	Je suggère que tu prennes rendez-vous avec un orienteur bientôt.		✓	
a.	Il faut que vous remettiez votre travail la semaine prochaine.			
b.	Nous aimerions que vous assistiez à la journée de formation.			
c.	Elles ont peur que leurs enfants fassent des bêtises.			
d.	Il serait préférable que tu arrives avant le début des activités.			
e.	Vous exigez que tous les employés prennent une pause à midi.			
f.	Nous sommes stressées à l'idée qu'il vienne nous évaluer.			
g.	Il est obligatoire qu'on envoie notre dossier avant le 1er mars.			
h.	Elle est agréablement surprise que sa candidature soit retenue.			
i.	Les établissements exigent que nous présentions une preuve de résidence.			
j.	Je suis déçu qu'ils prennent seulement les dix meilleurs.			
k.	Il serait mieux qu'ils écrivent une lettre à la directrice du programme.			
l.	Elle est désolée qu'on ne puisse pas être présents.			
m.	Il faut qu'ils viennent à nos bureaux nous rencontrer.			
n.	Il est impératif qu'il fasse les modifications que nous lui avons demandées.			
o.	Il est regrettable qu'il pleuve autant le jour de votre mariage.			

4. Classez les débuts de phrases dans la bonne colonne.

Obligation	Souhait ou conseil	Sentiment ou émotion

a. Il serait plus sage que…
b. Ils sont ravis que…
c. Il est souhaitable que…
d. Nous espérons que…
e. On serait tristes que…
f. Tu imposes que…
g. On propose que…
h. Je rêve que…
i. Nous exigeons que…
j. Il est capital que…
k. Je voudrais que…
l. Elle soumet l'idée que…
m. Tu recommandes que…
n. Vous détestez que…
o. Elles doutent que…
p. On craint que…

5. Complétez les phrases en transformant le verbe au subjonctif présent.

Ex. : Tu dois aller à cette rencontre. → Il faut que tu *ailles à cette rencontre.*

a. On leur recommande de venir. → On recommande qu'ils ....
....

b. Vous me proposez d'attendre à la semaine prochaine. → Vous proposez que j'..
....

c. Je serais triste de te voir partir. → Je serais triste que tu ....
....

d. Il faut envoyer vos demandes partout. → Il faut que vous ....
....

e. Il serait sage d'éteindre votre téléphone. → Il serait sage que vous ....
....

f. Elles te conseillent de faire affaire avec lui. → Elles conseillent que tu ....
....

g. Tu demandes aux gens d'être prêts. → Tu demandes que les gens ....
....

h. Je suggère à Jean-Pierre de les prendre. → Je suggère qu'il les ....
....

i. Il est obligatoire de porter l'uniforme. → Il est obligatoire qu'on ....
....

6. **Composez des phrases pour décrire les obligations de Marc et les conseils donnés par son amie. Utilisez des formulations variées et des verbes au subjonctif présent.**

a. Obligations de Marc
• ~~réussir plusieurs examens importants à l'université~~
• trouver un travail dans son domaine
• s'entrainer pour le marathon
• partir de chez ses parents

Ex.: Il faut qu'il réussisse plusieurs examens importants à l'université.

• ....

• ....

• ....

b. Conseils de son amie Josée
• ~~étudier à l'avance et se coucher tôt~~
• envoyer son CV et faire le suivi auprès des employeurs
• consulter des sites de rencontres sur internet
• visiter plusieurs appartements avant de signer un bail

Ex.: Elle recommande qu'il étudie à l'avance et qu'il se couche tôt.

• ....

• ....

• ....

7. **Faites des phrases qui expriment les sentiments et les émotions de Marc. Utilisez des verbes au subjonctif présent.**

Ex.: il est surpris + ses résultats sont excellents
→ *Il est surpris que ses résultats soient excellents.*

a. il serait déçu + son CV ne retient l'attention d'aucun employeur

....

b. il est heureux + plusieurs jeunes femmes veulent le rencontrer

....

c. il craint + les loyers sont chers

....

CONJUGAISON

Le verbe se conjugue, c'est-à-dire qu'il varie :
- selon la personne et le nombre de son sujet ;
- selon le temps (passé, présent, futur).

Il existe des **verbes réguliers** :
- les verbes qui se terminent par *-er*, sauf le verbe *aller*
- la plupart des verbes qui se terminent par *-ir*

Ces verbes se conjuguent de la même manière que leurs verbes modèles, *aimer* et *finir*.

Il existe des **verbes irréguliers :**
- le verbe *aller*
- certains verbes qui se terminent par *-ir*
- les verbes qui se terminent par *-oir*
- les verbes qui se terminent par *-re*

La conjugaison de ces verbes comporte des particularités. On peut tout de même utiliser des verbes modèles pour prédire la conjugaison de plusieurs d'entre eux.

Les verbes *avoir* et *être* sont dans une classe à part. Ils sont souvent auxiliaires de la conjugaison : ils servent notamment à construire les temps composés (ex. : elle **a** mangé, il **est** allé).

Observez les **temps de la conjugaison :**
- Aux temps simples, le verbe se conjugue sans auxiliaire.
- Les temps composés combinent l'auxiliaire (*avoir* ou *être*) conjugué et le participe passé du verbe.
- Les temps périphrastiques combinent un semi-auxiliaire (un verbe qui joue le rôle d'un auxiliaire) et l'infinitif d'un verbe. Ces temps ne sont généralement pas présentés dans les tableaux de conjugaison, mais ils sont couramment employés, notamment dans la langue parlée.

A. Les verbes *avoir* et *être*

Le verbe AVOIR

INDICATIF • TEMPS SIMPLES

Présent	Imparfait	Passé simple	Futur simple	Conditionnel présent
j' ai	j' avais	j' eus	j' aurai	j' aurais
tu as	tu avais	tu eus	tu auras	tu aurais
il a	elle avait	on eut	il aura	elle aurait
nous avons	nous avions	nous eûmes	nous aurons	nous aurions
vous avez	vous aviez	vous eûtes	vous aurez	vous auriez
elles ont	ils avaient	elles eurent	ils auront	elles auraient

SUBJONCTIF – Présent	IMPÉRATIF – Présent	PARTICIPE – Passé	INFINITIF – Présent
que j' aie	aie	eu/eue	avoir
que tu aies	ayons	eus/eues	
qu' on ait	ayez		
que nous ayons			
que vous ayez			
qu' ils aient			

INDICATIF • TEMPS COMPOSÉS

Passé composé	Plus-que-parfait
j' ai eu	j' avais eu
tu as eu	tu avais eu
il a eu	elle avait eu
nous avons eu	nous avions eu
vous avez eu	vous aviez eu
elles ont eu	ils avaient eu

TEMPS PÉRIPHRASTIQUES

Futur proche	Passé récent
je vais avoir	je viens d'avoir
tu vas avoir	tu viens d'avoir
on va avoir	il vient d'avoir
nous allons avoir	nous venons d'avoir
vous allez avoir	vous venez d'avoir
elles vont avoir	ils viennent d'avoir

Le verbe ÊTRE

INDICATIF • TEMPS SIMPLES

Présent	Imparfait	Passé simple	Futur simple	Conditionnel présent
je suis	j' étais	je fus	je serai	je serais
tu es	tu étais	tu fus	tu seras	tu serais
il est	elle était	on fus	il sera	elle serait
nous sommes	nous étions	nous fûmes	nous serons	nous serions
vous êtes	vous étiez	vous fûtes	vous serez	vous seriez
elles sont	ils étaient	elles furent	ils seront	elles seraient

SUBJONCTIF – Présent	IMPÉRATIF – Présent	PARTICIPE – Passé	INFINITIF – Présent
que je sois	sois	été	être
que tu sois	soyons		
qu' elle soit	soyez		
que nous soyons			
que vous soyez			
qu' ils soient			

INDICATIF • TEMPS COMPOSÉS

Passé composé	Plus-que-parfait
j' ai été	j' avais été
tu as été	tu avais été
il a été	elle avait été
nous avons été	nous avions été
vous avez été	vous aviez été
elles ont été	ils avaient été

TEMPS PÉRIPHRASTIQUES

Futur proche	Passé récent
je vais être	je viens d'être
tu vas être	tu viens d'être
on va être	il vient d'être
nous allons être	nous venons d'être
vous allez être	vous venez d'être
elles vont être	ils viennent d'être

B. Les verbes réguliers en *-er*

Le verbe AIMER Un très grand nombre de verbes de la langue française se conjuguent comme *aimer.*

INDICATIF • TEMPS SIMPLES

Présent		Imparfait		Passé simple		Futur simple		Conditionnel présent	
j'	aim**e**	j'	aim**ais**	j'	aim**ai**	j'	aim**erai**	j'	aim**erais**
tu	aim**es**	tu	aim**ais**	tu	aim**as**	tu	aim**eras**	tu	aim**erais**
il	aim**e**	elle	aim**ait**	on	aim**a**	il	aim**era**	elle	aim**erait**
nous	aim**ons**	nous	aim**ions**	nous	aim**âmes**	nous	aim**erons**	nous	aim**erions**
vous	aim**ez**	vous	aim**iez**	vous	aim**âtes**	vous	aim**erez**	vous	aim**eriez**
ils	aim**ent**	elles	aim**aient**	ils	aim**èrent**	elles	aim**eront**	ils	aim**eraient**

SUBJONCTIF		IMPÉRATIF	PARTICIPE	INFINITIF
Présent		Présent	Passé	Présent
que j'	aim**e**	aim**e**	aim**é**/aim**ée**	aim**er**
que tu	aim**es**	aim**ons**	aim**és**/aim**ées**	
qu' il	aim**e**	aim**ez**		
que nous	aim**ions**			
que vous	aim**iez**			
qu' elles	aim**ent**			

INDICATIF • TEMPS COMPOSÉS

Passé composé			Plus-que-parfait		
j'	ai	aimé	j'	avais	aimé
tu	as	aimé	tu	avais	aimé
il	a	aimé	elle	avait	aimé
nous	avons	aimé	nous	avions	aimé
vous	avez	aimé	vous	aviez	aimé
ils	ont	aimé	elles	avaient	aimé

TEMPS PÉRIPHRASTIQUES

Futur proche			Passé récent		
je	vais	aimer	je	viens	d'aimer
tu	vas	aimer	tu	viens	d'aimer
on	va	aimer	il	vient	d'aimer
nous	allons	aimer	nous	venons	d'aimer
vous	allez	aimer	vous	venez	d'aimer
ils	vont	aimer	elles	viennent	d'aimer

Le verbe ENVOYER Verbe qui se conjugue comme *envoyer*: renvoyer

INDICATIF • TEMPS SIMPLES

Présent		Imparfait		Passé simple		Futur simple		Conditionnel présent	
j'	envoi**e**	j'	envoy**ais**	j'	envoy**ai**	j'	enver**rai**	j'	enver**rais**
tu	envoi**es**	tu	envoy**ais**	tu	envoy**as**	tu	enver**ras**	tu	enver**rais**
elle	envoi**e**	il	envoy**ait**	on	envoy**a**	elle	enver**ra**	il	enver**rait**
nous	envoy**ons**	nous	envoy**ions**	nous	envoy**âmes**	nous	enver**rons**	nous	enver**rions**
vous	envoy**ez**	vous	envoy**iez**	vous	envoy**âtes**	vous	enver**rez**	vous	enver**riez**
elles	envoi**ent**	ils	envoy**aient**	elles	envoy**èrent**	ils	enver**ront**	elles	enver**raient**

SUBJONCTIF		IMPÉRATIF	PARTICIPE	INFINITIF
Présent		Présent	Passé	Présent
que j'	envoi**e**	envoi**e**	envoy**é**/envoy**ée**	envoy**er**
que tu	envoi**es**	envoy**ons**	envoy**és**/envoy**ées**	
qu' on	envoi**e**	envoy**ez**		
que nous	envoy**ions**			
que vous	envoy**iez**			
qu' ils	envoi**ent**			

INDICATIF • TEMPS COMPOSÉS

Passé composé			Plus-que-parfait		
j'	ai	envoyé	j'	avais	envoyé
tu	as	envoyé	tu	avais	envoyé
elle	a	envoyé	il	avait	envoyé
nous	avons	envoyé	nous	avions	envoyé
vous	avez	envoyé	vous	aviez	envoyé
elles	ont	envoyé	ils	avaient	envoyé

TEMPS PÉRIPHRASTIQUES

Futur proche			Passé récent		
je	vais	envoyer	je	viens	d'envoyer
tu	vas	envoyer	tu	viens	d'envoyer
on	va	envoyer	elle	vient	d'envoyer
nous	allons	envoyer	nous	venons	d'envoyer
vous	allez	envoyer	vous	venez	d'envoyer
elles	vont	envoyer	ils	viennent	d'envoyer

C. Les verbes réguliers en *-ir*

Le verbe FINIR (Plus de 250 verbes de la langue française se conjuguent comme *finir.*)

INDICATIF • TEMPS SIMPLES

Présent	Imparfait	Passé simple	Futur simple	Conditionnel présent
je fin**is**	je finiss**ais**	je fin**is**	je fin**irai**	je fin**irais**
tu fin**is**	tu finiss**ais**	tu fin**is**	tu fin**iras**	tu fin**irais**
elle fin**it**	il finiss**ait**	on fin**it**	elle fin**ira**	il fin**irait**
nous finiss**ons**	nous finiss**ions**	nous fin**îmes**	nous fin**irons**	nous fin**irions**
vous finiss**ez**	vous finiss**iez**	vous fin**îtes**	vous fin**irez**	vous fin**iriez**
elles finiss**ent**	ils finiss**aient**	elles fin**irent**	ils fin**iront**	elles fin**iraient**

SUBJONCTIF Présent	IMPÉRATIF Présent	PARTICIPE Passé	INFINITIF Présent
que je finiss**e**	fin**is**	fin**i**/fin**ie**	fin**ir**
que tu finiss**es**	finiss**ons**	fin**is**/fin**ies**	
qu' elle finiss**e**	finiss**ez**		
que nous finiss**ions**			
que vous finiss**iez**			
qu' ils finiss**ent**			

INDICATIF • TEMPS COMPOSÉS

Passé composé	Plus-que-parfait
j' ai fini	j' avais fini
tu as fini	tu avais fini
on a fini	il avait fini
nous avons fini	nous avions fini
vous avez fini	vous aviez fini
elles ont fini	ils avaient fini

TEMPS PÉRIPHRASTIQUES

Futur proche	Passé récent
je vais finir	je viens de finir
tu vas finir	tu viens de finir
elle va finir	on vient de finir
nous allons finir	nous venons de finir
vous allez finir	vous venez de finir
elles vont finir	ils viennent de finir

D. Les verbes irréguliers

Les verbes irréguliers se terminent par *-ir*, *-oir* et *-re*. Le verbe *aller* est aussi un verbe irrégulier. Souvent, le radical de ces verbes change au cours de la conjugaison.

Le verbe VENIR (Verbes qui se conjuguent comme venir : *devenir, intervenir, parvenir, redevenir, revenir, se souvenir, survenir.*)

INDICATIF • TEMPS SIMPLES

Présent	Imparfait	Passé simple	Futur simple	Conditionnel présent
je vien**s**	je ven**ais**	je **vins**	je viend**rai**	je viend**rais**
tu vien**s**	tu ven**ais**	tu **vins**	tu viend**ras**	tu viend**rais**
elle vien**t**	il ven**ait**	on **vint**	elle viend**ra**	il viend**rait**
nous ven**ons**	nous ven**ions**	nous **vînmes**	nous viend**rons**	nous viend**rions**
vous ven**ez**	vous ven**iez**	vous **vîntes**	vous viend**rez**	vous viend**riez**
elles vienn**ent**	ils ven**aient**	elles **vinrent**	ils viend**ront**	elles viend**raient**

SUBJONCTIF Présent	IMPÉRATIF Présent	PARTICIPE Passé	INFINITIF Présent
que je vienn**e**	vien**s**	ven**u**/ven**ue**	ven**ir**
que tu vienn**es**	ven**ons**	ven**us**/ven**ues**	
qu' elle vienn**e**	ven**ez**		
que nous ven**ions**			
que vous ven**iez**			
qu' ils vienn**ent**			

INDICATIF • TEMPS COMPOSÉS

Passé composé	Plus-que-parfait
je suis venu (ue)	j' étais venu (ue)
tu es venu (ue)	tu étais venu (ue)
il/elle est venu (ue)	il/elle était venu (ue)
nous sommes venus (ues)	nous étions venus (ues)
vous êtes venus (ues)	vous étiez venus (ues)
ils/elles sont venus (ues)	ils/elles étaient venus (ues)

TEMPS PÉRIPHRASTIQUES

Futur proche	Passé récent
je vais venir	—
tu vas venir	
on va venir	
nous allons venir	
vous allez venir	
elles vont venir	

CONJUGAISON

Le verbe POUVOIR

(Aucun autre verbe ne se conjugue comme *pouvoir*. Notez que ce verbe n'existe pas à l'impératif.)

INDICATIF • TEMPS SIMPLES

Présent	Imparfait	Passé simple	Futur simple	Conditionnel présent
je peu**x**/pui**s***	je pouv**ais**	je p**us**	je pour**rai**	je pour**rais**
tu peu**x**	tu pouv**ais**	tu p**us**	tu pour**ras**	tu pour**rais**
il peu**t**	elle pouv**ait**	on p**ut**	il pour**ra**	elle pour**rait**
nous pouv**ons**	nous pouv**ions**	nous p**ûmes**	nous pour**rons**	nous pour**rions**
vous pouv**ez**	vous pouv**iez**	vous p**ûtes**	vous pour**rez**	vous pour**riez**
elles peuv**ent**	ils pouv**aient**	elles p**urent**	ils pour**ront**	elles pour**raient**

SUBJONCTIF Présent	IMPÉRATIF Présent	PARTICIPE Passé	INFINITIF Présent
que je puiss**e**	–	p**u**	pouv**oir**
que tu puiss**es**	–		
qu' il puiss**e**	–		
que nous puiss**ions**			
que vous puiss**iez**			
qu' ils puiss**ent**			

INDICATIF • TEMPS COMPOSÉS

Passé composé	Plus-que-parfait
j' ai pu	j' avais pu
tu as pu	tu avais pu
il a pu	elle avait pu
nous avons pu	nous avions pu
vous avez pu	vous aviez pu
elles ont pu	ils avaient pu

TEMPS PÉRIPHRASTIQUES

Futur proche	Passé récent
je vais pouvoir	je viens de pouvoir
tu vas pouvoir	tu viens de pouvoir
on va pouvoir	il vient de pouvoir
nous allons pouvoir	nous venons de pouvoir
vous allez pouvoir	vous venez de pouvoir
elles vont pouvoir	ils viennent de pouvoir

Le verbe FAIRE

(Verbes qui se conjuguent comme *faire*: défaire, refaire, satisfaire, parfaire.)

INDICATIF • TEMPS SIMPLES

Présent	Imparfait	Passé simple	Futur simple	Conditionnel présent
je fai**s**	je fais**ais**	je f**is**	je fe**rai**	je fe**rais**
tu fai**s**	tu fais**ais**	tu f**is**	tu fe**ras**	tu fe**rais**
il fai**t**	elle fais**ait**	on f**it**	il fe**ra**	elle fe**rait**
nous fais**ons**	nous fais**ions**	nous f**îmes**	nous fe**rons**	nous fe**rions**
vous fai**tes**	vous fais**iez**	vous f**îtes**	vous fe**rez**	vous fe**riez**
elles f**ont**	ils fais**aient**	elles f**irent**	ils fe**ront**	elles fe**raient**

SUBJONCTIF Présent	IMPÉRATIF Présent	PARTICIPE Passé	INFINITIF Présent
que je fass**e**	fai**s**	fai**t**/fai**te**	fai**re**
que tu fass**es**	fais**ons**	fai**ts**/fai**tes**	
qu' on fass**e**	fai**tes**		
que nous fass**ions**			
que vous fass**iez**			
qu' ils fass**ent**			

INDICATIF • TEMPS COMPOSÉS

Passé composé	Plus-que-parfait
j' ai fait	j' avais fait
tu as fait	tu avais fait
il a fait	elle avait fait
nous avons fait	nous avions fait
vous avez fait	vous aviez fait
elles ont fait	ils avaient fait

TEMPS PÉRIPHRASTIQUES

Futur proche	Passé récent
je vais faire	je viens de faire
tu vas faire	tu viens de faire
on va faire	il vient de faire
nous allons faire	nous venons de faire
vous allez faire	vous venez de faire
elles vont faire	ils viennent de faire

Le verbe PRENDRE

INDICATIF • TEMPS SIMPLES

Présent	Imparfait	Passé simple	Futur simple	Conditionnel présent
je prend**s**	je pren**ais**	je pri**s**	je prend**rai**	je prend**rais**
tu prend**s**	tu pren**ais**	tu pri**s**	tu prend**ras**	tu prend**rais**
il pren**d**	elle pren**ait**	on pri**t**	il prend**ra**	elle prend**rait**
nous pren**ons**	nous pren**ions**	nous pr**îmes**	nous prend**rons**	nous prend**rions**
vous pren**ez**	vous pren**iez**	vous pr**îtes**	vous prend**rez**	vous prend**riez**
elles pren**nent**	ils pren**aient**	elles pri**rent**	ils prend**ront**	elles prend**raient**

SUBJONCTIF	IMPÉRATIF	PARTICIPE	INFINITIF
Présent	**Présent**	**Passé**	**Présent**
que je prenn**e**	prend**s**	pri**s**/pri**se**	prend**re**
que tu prenn**es**	pren**ons**	pri**s**/pri**ses**	
qu' elle prenn**e**	pren**ez**		
que nous pren**ions**			
que vous pren**iez**			
qu' elles prenn**ent**			

INDICATIF • TEMPS COMPOSÉS

Passé composé	Plus-que-parfait
j' ai pris	j' avais pris
tu as pris	tu avais pris
il a pris	elle avait pris
nous avons pris	nous avions pris
vous avez pris	vous aviez pris
ils ont pris	elles avaient pris

TEMPS PÉRIPHRASTIQUES

Futur proche	Passé récent
je vais prendre	je viens de prendre
tu vas prendre	tu viens de prendre
on va prendre	il vient de prendre
nous allons prendre	nous venons de prendre
vous allez prendre	vous venez de prendre
ils vont prendre	elles viennent de prendre

Le verbe ALLER

Aller est le seul verbe irrégulier en *-er*.

INDICATIF • TEMPS SIMPLES

Présent	Imparfait	Passé simple	Futur simple	Conditionnel présent
je **vais**	j' all**ais**	j' all**ai**	j' **irai**	j' **irais**
tu **vas**	tu all**ais**	tu all**as**	tu **iras**	tu **irais**
il **va**	elle all**ait**	on all**a**	il **ira**	elle **irait**
nous all**ons**	nous all**ions**	nous all**âmes**	nous **irons**	nous **irions**
vous all**ez**	vous all**iez**	vous all**âtes**	vous **irez**	vous **iriez**
elles **vont**	ils all**aient**	ils all**èrent**	elles **iront**	elles **iraient**

SUBJONCTIF	IMPÉRATIF	PARTICIPE	INFINITIF
Présent	**Présent**	**Passé**	**Présent**
que j' aill**e**	v**a**	all**é**/all**ée**	all**er**
que tu aill**es**	all**ons**	all**és**/all**ées**	
qu' il aill**e**	all**ez**		
que nous all**ions**			
que vous all**iez**			
qu' ils aill**ent**			

INDICATIF • TEMPS COMPOSÉS

Passé composé	Plus-que-parfait
je suis allé (ée)	j' étais allé (ée)
tu es allé (ée)	tu étais allé (ée)
il/elle est allé (ée)	il/elle était allé (ée)
nous sommes allés (ées)	nous étions allés (ées)
vous êtes allés (ées)	vous étiez allés (ées)
ils/elles sont allés (ées)	ils/elles étaient allés (ées)

TEMPS PÉRIPHRASTIQUES

Futur proche	Passé récent
je vais aller	je viens d'aller
tu vas aller	tu viens d'aller
elle va aller	il vient d'aller
nous allons aller	nous venons d'aller
vous allez aller	vous venez d'aller
elles vont aller	ils viennent d'aller

INDEX